FLORALIES

RETOUR
DANS LA NUIT

DU MÊME AUTEUR

à la Librairie Jules TALLANDIER

Dans la même collection :

Un amour comme le nôtre
L'Homme du ranch
Autant en emporte l'amour
L'Invitée du week-end
La Messagère
Castel-Pirate
Rendez-vous au bord du fleuve
Un baiser sur la route
Les Couleurs du rêve
La Crique aux bleuets
Sa femme est une meurtrière
La Sorcière de la mer
Anita et la Chimère
Rêve perdu

Pour devenir Lady
L'Amour sera du voyage
Imprudente Catherine
Rencontre dans la brume
Un Sourire d'homme
C'est arrivé à Mexico
L'Aventure jamaïquaine
Sibyl et le Baron des neiges
Le miraculeux voyage
Flammes andalouses
L'Étrange hyménée
L'Homme d'un seul amour
Un jour tu sauras...
Lac aux brumes
Belle-de-mai

Dans d'autres collections :

La bague au doigt
Le Château des cœurs perdus
L'Homme du ranch
La Princesse aux dollars
Le Passager du *Bonaventure*
Retour dans la nuit
Sur la route inconnue
L'Usurpatrice
A quoi pensais-tu. Marion?
La Prisonnière
Un Couple dans le vent

L'Homme des pistes
Le Remplaçant
La Villa de la solitude
Celle qui s'en alla
L'Armoire normande
L'heure de vérité
Rendez-vous sous les palmes
Le Déchirant Retour
Un soir de Carnaval
Un amour sauvage
Flash sur deux cœurs

Dans la collection « 4 couleurs »

Pour une orchidée

La Voyageuse clandestine

MAGALI

RETOUR
DANS LA NUIT

LIBRAIRIE JULES TALLANDIER
17, rue Remy-Dumoncel, PARIS (XIVe)

RETOUR DANS LA NUIT

CHAPITRE PREMIER

— Ne bougez pas! ordonna la voix.

Sèche, elle éclata dans le silence oppressant. Les mains de Gaétane se figèrent. Il y eut un déclic accompagné d'un éclaboussement de lumière.

« Il tire sur moi », songea-t-elle.

La pensée traversa son cerveau affolé, comme l'éclair. Elle s'étonna de ne rien sentir. Elle était si pétrifiée par la surprise que la peur ne lui arracha pas un tressaillement.

— Vous pouvez baisser les mains. Le long de vos hanches. Là, pas un geste de plus.

Froide, impersonnelle, la voix commandait.

Gaétane obéit, comme mue par une mécanique bien remontée.

— Retournez-vous maintenant. Avancez lentement dans cette direction. Jusqu'ici. Bien.

Dans la clarté brutale, Gaétane marcha à tâtons, telle une aveugle. Derrière elle, le coffre, sa porte restée grande ouverte, béait comme un four.

A l'abri du projecteur, l'homme restait invisible et la voix menaçante ne semblait venir de nulle part. Une sorte de ronronnement accompagna la docile et maladroite progression de Gaétane.

— Stop!

L'injonction l'atteignit comme une balle. Elle s'immobilisa, le pied droit à quelques centimètres du sol. La fièvre battait ses tempes. Une moiteur se propageait dans tout son corps. Son cerveau trop engourdi n'arrivait pas à assembler les idées. Un silence se fit, durant lequel le ronronnement insolite persista. Gaétane sentit se diluer peu à peu la terreur qui la paralysait.

— Prenez ce sac sur la table. Je suppose qu'il vous appartient?

— Oui, dit-elle faiblement.

Une pensée cohérente surgit enfin dans son esprit : le coup était manqué. A présent, il fallait payer.

Elle allongea une main tremblante, prit le sac de cuir qu'elle avait posé là, un moment plus tôt — un siècle. Elle le serra contre elle, gauchement, se figea de nouveau. Toujours invisible, son bourreau l'observait. Patiemment, longuement, le chat qui guette la souris. Elle se faisait l'effet d'un insecte cloué sur un tableau sous l'œil cruel de l'entomologiste.

Une main poussa une porte, tourna un commutateur. Le projecteur s'éteignit, délivrant de leur souffrance les yeux papillottants. La silhouette de l'homme se dessina dans le halo pâle qui venait de la pièce éclairée.

— Ces caméras sont une belle invention. Rien ne leur échappe, ricana-t-il.

L'étau qui oppressait la poitrine de la jeune femme se desserra légèrement. Son souffle se fit moins saccadé.

— Par ici! intima la voix.

Un plafonnier s'illumina. L'homme avait pressé le bouton. Obéissant comme un robot, Gaétane avança, franchit le seuil de l'autre pièce. Quand elle fut à la hauteur de son adversaire, elle dut s'arrêter de nouveau.

— Une seconde!

Il lui arracha son sac des mains et tâta vivement son corps, à hauteur des hanches et de la poitrine. Elle ne put réprimer un sursaut.

— Ne vous affolez pas, formula la voix, sarcastique. Je ne m'intéresse à votre personne que pour m'assurer que vous n'avez pas d'arme. Avec les cambrioleuses, on ne sait jamais.

— Je... je n'ai rien, balbutia-t-elle, dans un bégaiement à peine audible.

— Parfait. Cela vous évite des tentations Votre cas est déjà suffisamment sérieux.

Elle eut tout à coup envie de rire. Une arme? Elle n'avait jamais touché de sa vie qu'à la carabine de son frère pour tirer d'inoffensifs gibiers; encore la maniait-elle avec précaution.

— Que dois-je faire? osa-t-elle s'enquérir.

— Restez là où vous êtes. Attendez.

La voix martelait les mots. Elle s'empêcha de frissonner. Le sentiment de son impuissance et d'une inexorable fatalité la plongeait dans un muet désespoir.

Le regard désemparé qu'elle jeta autour d'elle enregistra machinalement le décor : l'ameublement d'un bureau cossu et très moderne où les chromes et les bois lustrés se mariaient.

L'homme fouillait le sac, posément, avec méthode. Il en renversa le contenu sur la table, fit glisser un document hors de l'étui de plastique. Il en retira un passeport qu'il feuilleta vivement.

— Gaétane Capucci. Vous êtes Corse?
Elle inclina la tête.

— Mes compliments! dit la voix ironique. Vous avez choisi un curieux métier pour vous installer sur le continent. Ne savez-vous pas qu'ici comme ailleurs pénétrer, la nuit, dans des locaux fermés pour y vider un coffre-fort est un délit, passible de plusieurs années de prison?

— J'étais à bout de ressources, murmura-t-elle.

Il haussa les épaules.

— Elles chantent toutes le même refrain.

Il secouait le sac, d'un geste brusque. Une clef tinta.

Il eut soudain une exclamation de surprise.

— Ça! par exemple. La clef de l'antichambre! Comment est-elle en votre possession?

Elle serra les lèvres, resta muette. Il avait relevé les yeux vers elle. Il la scruta un instant, fronçant les sourcils.

— Retirez ces cheveux de votre figure! Que je vous voie un peu.

Elle rejeta en arrière les mèches qui lui masquaient une partie des joues et du menton, puis baissa le front aussitôt. Ses joues, si pâles une seconde plus tôt, s'empourprèrent.

— Dites donc, vous? Relevez cette tête, s'il vous plaît.

Il fit un pas vers elle et elle se recroquevilla comme pour parer un coup.

Il lui prit brutalement le menton, lui rejeta la tête en arrière, la scruta intensément. Une curieuse expression se peignit sur son visage dur.

— Mais... je vous connais. Je vous ai déjà vue.

Elle esquissa un geste de dénégation, puis, comme accablée par la fatalité, s'immobilisa, abandonnée à l'inéluctable.

— Ma parole!

Le ton était empreint d'un immense étonnement.

— J'ai la mémoire des physionomies. Vous ne

pouvez pas me tromper. Vous êtes une des filles qui aviez répondu à l'annonce, au sujet des dactylos.

Elle ne nia pas. Mais comme si cette découverte lui redonnait un peu d'énergie, elle interrogea, d'une voix blanche, avec une pointe de défi :

— Qu'attendez-vous pour me faire arrêter?

— Patience! Nous avons le temps.

Il eut un méchant sourire.

— De toute façon, tout votre cambriolage a été enregistré sur ma caméra; vous avez été prise la main dans le sac, ma petite.

Il tripotait toujours la clef et la balançait dans sa large main.

— Vous ne m'avez toujours pas dit où vous aviez pris cet objet?

— J'ai vu l'employé la suspendre au porte-clefs, dans l'entrée. J'ai profité d'un moment d'inattention et, en allant chercher mon vestiaire, je l'ai prise.

— Et comme il y en a un double, l'employé s'est servi de l'autre et a omis de me faire part de la disparition de celle-ci. Il aura la sanction qu'il mérite.

Sa voix était dure et sévère. Il l'examina un instant, tremblante devant lui comme une coupable devant un juge — et c'est bien cela qu'elle était, pensait-elle. Puis, il ajouta :

— De sorte qu'en ce qui vous concerne votre cas s'aggrave d'une préméditation évidente.

— Non, protesta-t-elle, en venant ici je ne savais pas. C'est le... l'occasion. J'ai vu la clef, la facilité avec laquelle j'ai pu la soustraire et j'avais aperçu le coffre. J'ai noté qu'il fermait, non pas par combinaison, mais par une clef qui pendait au trousseau. Vous avez rangé ce trousseau dans votre tiroir.

Il eut un sifflement faussement admiratif.

— Mâtin! Vous êtes très observatrice. Et où vous teniez-vous pour faire toutes ces constatations?

— J'étais dans cette pièce. Je tapais sur la machine. La porte était restée ouverte. J'ai tout vu dans la glace.

Il fronça le sourcil et son regard se dirigea vers le panneau du fond où était encastrée une grande glace.

— Voilà un miroir bien indiscret.

Il médita, hochant la tête, agitant machinalement la petite clef entre ses doigts. Elle demeurait les yeux fixés sur le visage dur aux méplats accusés. Un visage de pirate ou de tribun, sous des cheveux noirs striés de blanc, seul indice de la cinquantaine proche.

Elle sentit soudain la fatigue l'écraser et chancela. Elle était près de défaillir.

Il n'eut pas un geste de pitié, mais lui avança pourtant un des fauteuils.

— Asseyez-vous!

Et, comme elle hésitait :

— Asseyez-vous! tonna-t-il. Vous n'allez pas tomber dans les pommes. Cela ne va pas avec votre personnage.

— Je ne suis pas celle que vous croyez, dit-elle faiblement, en se laissant choir sur le siège et s'appuyant de ses deux mains crispées aux accoudoirs.

— J'ai déjà entendu cela quelque part. Une réplique de mauvais roman. Aussi bien, tout ceci est mené absurdement, ajouta-t-il, après un temps. Vous avez trop regardé la télé.

Elle porta ses deux paumes à son front dans un geste à la fois désespéré et excédé.

— Je vous en supplie! Faites-moi arrêter. Qu'on en finisse!

— Mais, enfin, cria-t-il, comment imaginiez-vous réussir une aussi ridicule tentative? Ne saviez-vous pas que mon appartement est au-dessus de mes bureaux?

— Je l'ignorais, avoua-t-elle.

— Et vous ignoriez aussi qu'une sonnerie se déclenche chez moi dès qu'on touche à la porte du coffre? Pauvre idiote!

Son ton était insultant. Elle tressaillit sous l'injure. Son timbre vibra :

— Faites-moi arrêter!

— On a le temps. C'est moi qui mène l'interrogatoire pour le moment.

Elle serra les dents et son visage se ferma. Elle parut se murer dans une farouche résolution de silence.

— Qu'espériez-vous? scanda-t-il.

Elle demeura muette.

— Répondez!

Il s'était rapproché d'elle et lui criait dans la figure. Elle eut un geste craintif, comme pour se protéger.

— Vous n'êtes pas un magistrat.

— Mais je suis la victime! J'ai quelque droit à m'informer, ne trouvez-vous pas?

Elle le haïssait. Intérieurement une onde de rage la soulevait contre cet homme. C'était à cause de lui qu'elle se trouvait dans cette humiliante situation et il en abusait. Elle pensa à Michaël. Que dirait-il quand il saurait qu'elle avait si bêtement échoué? Il aurait d'elle-même l'opinion que cet homme lui manifestait : il la trouverait idiote.

Elle se sentit soudain misérable, esseulée, désarmée. Une affreuse détresse l'envahit. Son cœur lui faisait mal à l'étouffer.

Cependant, son tourmenteur reprenait.

— Qui est derrière vous? Qui vous a soufflé ce projet insensé, stupide, de cambrioler ce coffre? Vous faites partie d'une bande?

Elle fit non de la tête, infiniment lasse, les paumes moites.

— Qui vous a aidée?

Il criait de plus en plus fort, comme s'il eût voulu faire entrer les mots de force derrière son front obstiné.

— Personne, dit-elle. Je n'ai personne.

— Qu'est-ce que ça veut dire que vous n'avez personne? On a toujours quelqu'un dans sa vie. Quel âge avez-vous?

— Vingt-deux ans.

Il eût pu vérifier, sur la passeport. Il n'y songea pas. Elle était si visiblement à bout de résistance qu'elle ne devait plus avoir la force de mentir.

Il répéta :

— Personne?

Comme si le mot l'avait frappé.

— Vous êtes célibataire?

— Oui.

Il l'examinait, soupçonneux. Mais il semblait perdre de son agressivité. Ses yeux se plissèrent. Il parut suivre une pensée qui venait, soudain, de jaillir dans son esprit.

— Écoutez, dit-il, si vous me racontiez votre histoire? En essayant de dire la vérité. Peut-être termineriez-vous la nuit ailleurs qu'en prison?

Elle le regarda, se méprit d'abord sur ses intentions et se recroquevilla sur elle-même, avec un geste instinctif de défense.

— Oh! rassurez-vous, fit-il avec un rire narquois, il n'est pas question de ce que vous pensez. Vous ne m'intéressez qu'en temps que cambrioleuse. Il y a tant de maladresse dans votre aventure que je serais près de vous croire si vous prétendiez que c'est votre première tentative de ce genre.

— C'est la première, jeta-t-elle avec un ton indigné qui rendit plus sarcastique l'expression railleuse de Georges Avancher.

— De toute façon, déclara-t-il, vous étiez bien mal renseignée. Je ne laisse jamais de fonds dans ce coffre. Vous auriez fait chou blanc.

« Je peux donc considérer, ajouta-t-il, que vous n'avez rien pris et je suis décidé à en tenir compte, à condition que je sache exactement ce que vous êtes et ce qui vous a poussée à agir.

— Je vous l'ai dit. J'étais au bout du rouleau. Demain, on me met à la porte de ma chambre et je serai dans la rue.

— Vous ne pouviez pas vous faire aider par vos compatriotes, alerter votre famille, retourner en Corse?

Elle fit non de la tête, désespérément.

Pourquoi la tourmentait-il? Pourquoi avait-il soudain l'air de s'intéresser à elle, au lieu de téléphoner à la police? L'homme n'était pas bon, elle le savait. Il était peu enclin à se montrer généreux. Quelle était la raison insolite de cette mansuétude?

On aurait dit qu'il suivait sur son visage altéré le cheminement de ses pensées. Il se mit à rire.

— Vous cherchez à interpréter mon attitude?
Elle vous étonne?

Il s'assit sur le bord de la table, les jambes
pendantes, l'air désinvolte et décontracté. Son
ton se fit persuasif.

— Vous n'êtes pas pressée, j'imagine, de
coucher en cellule et de goûter à la promiscuité
et aux inconvénients majeurs d'une incarcéra-
tion? La prison pour femmes n'est pas le rêve.
Une jeune personne y risque de bien regrettables
fréquentations.

Malgré elle, elle frissonna.

— Je vois que vous vous rendez compte.
Alors, pourquoi ne pas essayer de me raconter
vos malheurs? Peut-être m'attendrirai-je?

Elle n'aimait pas son sourire. Elle n'aimait
pas l'expression cynique de ses yeux gris fixés
sur elle. Pourtant, elle se décida à improviser.
Avec répugnance d'abord et hésitation, puis un
peu plus détendue à mesure qu'elle avançait
dans ses confidences et qu'il l'écoutait sans
l'interrompre et avait l'air d'accorder du crédit à
ce qu'elle racontait.

Elle était venue à Paris sous le prétexte d'un
concours organisé par un magazine féminin et
qui avait pour but de sélectionner une candidate, apte à tenir un rôle dans un film, auprès
d'un jeune premier. Elle avait envoyé sa photo
qui avait été retenue et elle avait quitté sa ville
natale, le cœur gonflé d'espoir.

Une énorme déception l'attendait : elle n'avait pas été parmi les finalistes du concours et s'était donc retrouvée sur le pavé de Paris, sans ressources, ne voulant à aucun prix utiliser le billet de retour qui lui avait été remis par le journal. Elle avait cherché du travail, essayé plusieurs places, même celle de bonne à tout faire et d'ouvreuse dans un théâtre du Quartier Latin.

Finalement, elle avait échoué chez une vieille dame comme garde-soignante, ce qui lui assurait le vivre et le couvert, un toit et de maigres appointements. Le temps qu'elle avait passé là lui avait permis de suivre des cours du soir et, renonçant aux carrières artistiques qui lui semblaient décidément trop difficiles à aborder, sans protection et sans appui financier, elle avait suivi des cours de secrétariat.

Sa vieille patronne était morte. Elle s'était retrouvée sans asile et sans ressources. C'est alors qu'elle avait répondu à l'annonce parue dans le journal du matin, demandant une secrétaire.

— Je me suis présentée à vos bureaux. Mais nous étions nombreuses. On m'a fait passer un test. A deux reprises. On en a choisi une autre, soupira-t-elle. Une autre plus qualifiée que moi.

Il l'avait écoutée avec attention, tout en fumant des cigarettes qu'il puisait dans un coffret de laque et qu'il allumait nonchalamment à un briquet de table.

— Je vois, grommela-t-il. Ce stage vous a permis de repérer le coffre, la clef, de vous renseigner sur les heures de présence des employés afin d'en faire votre profit. Mes compliments! Vous allez vite.

— Mais ne comprenez-vous pas que j'étais désespérée? gémit-elle, en serrant convulsivement ses mains l'une contre l'autre. Cette place représentait ma dernière chance.

— Et faute de cette place, vous vous mettiez dans le cas d'aller en prison? Curieux calcul.

— Oh! je ne savais plus où j'en étais.

Elle pressa ses joues contre ses paumes. Maintenant, elle se laissait aller, affalée sur son siège, comme abandonnée à son sort.

Le sourcil froncé, les yeux rétrécis sous l'empire de la réflexion, il la regardait:

— Il est exclu que vous repartiez chez vous?

Elle sembla ne pas comprendre.

— Chez moi? Ah! dans mon pays?

Elle secoua farouchement la tête.

— Oui.

— Pourquoi? Vous avez fait des bêtises?

— Pas du tout, se récria-t-elle si vivement qu'il admit qu'elle disait vrai. Mais je n'ai plus personne là-bas. Mon père est remarié et ma belle-mère a été trop contente de me voir partir pour le continent. C'est définitif.

L'amertume de son accent n'échappa pas à
son auditeur. Il fit tomber la cendre de sa
cigarette dans le cendrier. Sa voix se fit moins
hostile.

— Écoutez, décida-t-il, je crois que je vais
vous donner votre chance. Je renonce à vous
poursuivre, momentanément.

Elle tressaillit et le considéra avec effarement.

— Vous voulez dire que vous ne me faites pas
arrêter?

Il haussa les épaules.

— A quoi cela me servirait-il de vous envoyer
passer quelques années en cabane?

— Je vous remercie, parvint-elle à articuler.

Une flambée d'espoir passa sur son visage
morne. Il s'aperçut qu'elle était jolie lorsque la
peur ou la colère ne déformait pas ses traits.

— Attention. Il y a une condition.

— Ah? fit-elle, déjà inquiète.

— Je vous confierai un travail.

— Ici? Au bureau?

— Non. Rien à voir avec la dactylographie.
Mais c'est quand même dans vos cordes.

— Dites toujours, fit-elle, résignée.

— Pas avant d'avoir la certitude que vous ne
m'avez pas raconté un roman. Je veux faire ma
petite enquête.

Le visage de Gaétane exprima le découragement.

— Tout cela est-il bien nécessaire? murmura-t-elle d'une voix sans timbre. Livrez-moi à la police. C'est la seule solution pour moi, au point où j'en suis.

Elle paraissait à bout de courage.

Il consulta sa montre.

— Savez-vous qu'il est plus de minuit? Où habitez-vous?

La question abrupte la surprit.

Après une hésitation, elle déclina son adresse : un hôtel, du côté de la gare de l'Est.

Il ajouta, d'un ton péremptoire :

— Je vais vous reconduire chez vous.

— Chez moi? Vous? s'exclama-t-elle, incré-dule.

Elle le fixait, de ses yeux angoissés, méfiante.

— Bien sûr. Je veux d'abord m'assurer que vous m'avez bien dit la vérité en ce qui concerne votre domicile actuel. De plus, ce n'est pas une heure convenable pour laisser errer dans Paris une jeune personne, même après un cambriolage manqué.

— Pourquoi faites-vous cela? demanda-t-elle, éberluée, ne sachant plus très bien ce qu'elle devait penser ou croire.

Il eut un sourire énigmatique.

— Si vous voulez le savoir, vous viendrez demain ici même, à deux heures. Vous appren-drez alors ce que j'attends de vous.

Elle continuait à le regarder avec incertitude. Elle était désemparée. Elle ne comprenait pas le comportement de cet homme qui lui était antipathique et en qui elle s'obstinait à voir un adversaire dangereux.

— Et si je ne viens pas? jeta-t-elle avec défi.

— Alors je déposerai plainte et vous ferai coffrer.

Il désigna la caméra :

— J'ai là toutes les preuves qu'il faut pour appuyer mes dires.

— Vous avez pensé à tout, soupira-t-elle, avec une amertume contenue.

— De quoi vous plaignez-vous? Je vous rends la liberté alors que vous pourriez sortir d'ici entre deux agents, je vous raccompagne à votre domicile et je m'apprête à vous faire une proposition qui vous tirera du guêpier où vous vous débattez. Auriez-vous l'ingratitude de trouver la mariée trop belle?

Elle ne répondit pas. Ce qu'il disait avait un fond de vérité et elle eût dû se sentir allégée, même lui être reconnaissante. Le ton de sarcasme qui accompagnait ces paroles leur enlevait tout apparence de générosité.

— Allons, brusqua-t-il, je n'ai pas de temps à perdre, décidez-vous. Rentrez-vous à votre hôtel ou préférez-vous que j'appelle la police?

Et comme elle demeurait muette, il s'impatienta et cria violemment :

— Accepterez-vous ou non ma proposition?

Gaétane frémit. Elle était à bout.

La pensée de Michaël traversa son esprit en effervescence. Elle avait échoué. Que pouvait-elle faire d'autre que de s'incliner devant la fantaisie de son antagoniste? Michaël était loin. Il ne pouvait lui venir en aide.

— J'accepte, dit-elle sourdement.

Il la prit par l'épaule et la fit passer devant lui.

CHAPITRE II

Une vieille micheline bringuebalante émit un sifflement ridicule qui évoquait les jouets d'enfants, s'arrêta devant la gare. Une gare minuscule au milieu des champs qui ressemblait aussi à un jouet.

« Saint-Martin-la-Française », annonçait la plaque indicatrice.

Gaétane mit la tête à la portière. Le pays devait être assez loin de la station car on n'apercevait aucune agglomération. Elle descendit, traînant sa valise, franchit le portillon où le préposé la considéra curieusement et émergea sur la petite esplanade.

Un vieil autobus attendait, dont le conducteur blasé suivait d'un œil nonchalant cette voyageuse solitaire qui n'eut pas l'air de s'intéresser à son véhicule. Le regard de Gaétane cherchait ailleurs.

« — La Mercedes vous attendra », avait dit Georges Avancher.

Elle la repéra, parquée un peu plus loin, insolite dans ce décor rustique, et se dirigea vers elle. Elle s'attendait à voir se précipiter à sa rencontre un chauffeur en livrée et, ne remarquant personne, s'arrêta à quelques mètres, décontenancée.

L'autocar s'ébranlait dans un fracas de ferraille.

Gaétane, un peu perdue, marcha d'un pas hésitant jusqu'à la voiture. Une silhouette masculine, qui s'était tenue jusque-là adossée à un platane, se détacha de son poste et vint sans hâte, jusqu'à la voiture. L'homme avait l'aspect d'un paysan, pantalon de velours et veste de toile marron, rude et grossière. Il était coiffé d'un vieux chapeau de paille déteint.

Il le souleva à peine lorsqu'il apostropha l'arrivante, figée à quelques mètres de lui.

— C'est vous qui êtes attendue à la Tourillère?

Le ton était rude et rocailleux. Il ne décelait aucune intention d'amabilité.

— Chez M. Avancher. C'est moi, dit Gaétane avec empressement.

Elle ressentait l'allègement d'être enfin arrivée à bon port. Le voyage avait été long. Elle avait dû changer de wagon en pleine nuit, quitter l'express de la grande ligne y attendre dans une salle glacée la micheline qui desservait ce pays perdu.

L'homme n'eut pas un geste pour lui prendre

sa valise. Il ouvrit simplement la portière arrière.
Elle y hissa son bagage et s'installa sur les
coussins. La voiture était récente, très luxueuse.
La voyageuse en fut éblouie.

Sans proférer une parole, le conducteur
monta sur le siège avant. Elle remarqua ses
larges épaules et, quand il enleva son chapeau
cabossé pour le poser à côté de lui, ses cheveux
drus.

— Je regrette, dit-elle pour meubler le silence,
de vous avoir dérangé pour venir me chercher.

Il répondit par un vague grognement.

« Quel paysan mal dégrossi! » pensa Gaétane.

Il jurait avec cette belle voiture où sa
silhouette trapue et inélégante détonait.

Tandis qu'il embrayait sans douceur, elle
s'informa :

— Nous allons loin?

Un autre grognement lui répondit. Elle crut
comprendre qu'il y avait quarante minutes de
trajet.

Découragée par cette attitude, elle renonça à
apprivoiser l'homme et se renversa sur les
coussins, en fermant les yeux. C'était la première
fois qu'elle se trouvait emportée dans une de ces
voitures de luxe que Michaël lui montrait avec
envie.

La pensée de Michaël la ramena brusquement
à la réalité. Elle n'avait pas envie de contempler
le paysage, pas encore. Maintenant qu'elle

approchait du but, elle pouvait se convaincre
que cette minute n'était pas un rêve ni une
mauvaise plaisanterie — peut-être un piège
après tout? — et elle essayait de se concentrer
afin de faire le point de la situation. Une
situation qu'elle était loin de prévoir.

Elle avait encore présent à la mémoire le
dialogue qui l'avait mise aux prises avec
Georges Avancher, deux jours plus tôt. Comme
convenu, elle s'était rendue docilement au rendez-vous du directeur du cabinet Avancher. Elle
avait pris l'ascenseur, le cœur battant, retrouvé
la porte où s'inscrivait la raison sociale des
bureaux Avancher : « Assurances - Change -
Prêts immobiliers. » Son hôte avait choisi le
moment où tous les employés de la firme
s'étaient absentés pour la pause de midi.

Sans lui laisser le temps de réaliser ce qui lui
arrivait, il attaquait :

— Je sais tout de vous. J'ai fait mon enquête.

Les cils de Gaétane battirent.

« Il n'a pas perdu de temps, songea-t-elle. Que
sait-il exactement? Peut-être bluffe-t-il? »

Elle retrouvait avec malaise son air sardo-
nique, cette assurance autoritaire qui s'exprimait
vulgairement et qui lui en imposait.

— Alors, vous comprenez, votre baratin, je
n'en ai rien à faire.

Elle frémit et ses joues flambèrent.

— Je ne sais pas ce que vous voulez dire.

— Oui? Alors, écoutez. La malheureuse provinciale ignorante, échouée sur le pavé de Paris et à qui il arrive de mélodramatiques mésaventures, qui va d'échec en échec, en proie à une sombre fatalité, tout cela, c'est du roman. Un roman qui pourrait faire pleurer. Pas moi. Si nous rétablissions la vérité?

Il la tenait sous son regard fascinant, un regard de serpent. Elle se sentit mollir, fondre, éperdue de crainte et d'appréhension. Jamais elle ne s'était sentie aussi misérable tandis que ces diaboliques yeux gris, coupants comme des arêtes de glace, la fouillaient jusqu'à l'âme.

— Asseyez-vous, ordonna-t-il, en lui désignant une chaise devant son bureau.

Lui-même prit place dans le fauteuil où sa massive personne se carrait ostensiblement. Elle eut l'impression d'être écrasée, emportée comme un fétu dans un ouragan.

Posément, il se saisit d'un dossier, l'ouvrit, déplia un feuillet jaune.

— Voyons, dit-il sans hâte, en posant ses lunettes sur l'arête sèche de son nez. La vérité est toute différente. Vous l'avez embellie. Enfin, vous avez cru l'embellir. Il se trouve, ajouta-t-il avec un petit ricanement, que je préfère ma version, la vraie. Elle convient mieux à mes desseins et cadre davantage avec ce que j'attends de vous.

Gaétane serra les mâchoires. Le sarcasme

l'atteignait en plein orgueil. Ses paroles mor-
dantes lui laissaient une impression brûlante,
insoutenable. Pour l'instant, elle se souciait peu
de ce qu'il allait exiger d'elle. Elle ne pensait
qu'à cette situation intolérable dans laquelle elle
s'était mise par sa faute et elle s'en voulait
mortellement.

Il parcourut la feuille du regard, ramenant
parfois ce regard vers elle pour le reporter sur
les lignes qu'il lisait. Il admit, comme s'il lui
concédait un avantage :

— Le concours qui vous a amenée de Corse
dans la capitale, point de départ de votre
histoire? Exact. Exact aussi votre échec. C'est
après que les faits ne concordent plus. N'est-ce
pas?

Son sourire acéré lui communiqua une véritable panique. Elle le fixait, sans bouger, hypno-
tisée.

— Après — suivez-moi bien, je vous prie —
je vous donne la suite de votre « curriculum
vitae », tel que je l'ai rétabli. Après, nous nous
égarons. La bonne à tout faire, la garde-malade
touchante, ce sont des histoires. En réalité, vous
vous êtes fait engager comme mannequin, rue
Saint-Honoré. Entre-temps, vous fréquentiez les
clubs de jeunes et vous suiviez un cours de
chant. Vous avez été mêlée à une bande d'exci-
tés. Vous avez même essayé un numéro.

Il releva les yeux vers elle et elle se mordit les

lèvres. En deux jours, il était arrivé à retrouver le moindre détail de sa vie à Paris.

— Avec un nommé Michaël Montana.

Elle plia les épaules, accablée par la fatalité.

— Exact?

Le jeune visage s'était empourpré : elle sentait cette rougeur flamber à ses joues et la honte d'être ainsi découverte, déjouée, la dévorait.

La voix sarcastique poursuivait, dure et implacable :

— Pour vous deux, cela n'a pas gazé. Au moins en ce qui concerne votre rêve de gloire. Vous aviez été renvoyée de votre emploi. On ne peut pas faire deux métiers à la fois. Vous avez posé pour des photos publicitaires. Vous vouliez devenir cover-girl. C'est un métier qui mène à tout. A condition d'en sortir, comme dit l'autre. Votre partenaire, lui, a cherché des occupations rémunératrices. Il était étudiant — soi-disant — avant de se lancer dans ces folles aventures et d'espérer devenir l'émule d'une vedette de la chanson. Je crois que vous habitiez le même hôtel?

Le ton était insidieux. Elle sentit tout ce que sous-entendait cette remarque et, cette fois, elle regimba. C'était là le seul point où il se trompait; son erreur fit qu'elle s'arracha à sa prostration et laissa éclater sa colère.

Elle se redressa, frémissante.

— Et après? Vous avez fini de tourner autour

de moi comme le chat guette la souris? Dites-le
donc où vous voulez en venir! Dites-le que vous
savez qui est Michaël et que vous êtes maintenant fixé sur ce que je cherchais dans le coffre.

Il eut un geste apaisant.

— Ne nous emballons pas. A quoi cela rime-
t-il?

Soudain, elle éclata en sanglots. Il n'en fut pas
surpris. Il attendait que ses nerfs cèdent. Il
hocha la tête, affectant tout à coup un ton
bonhomme.

— Coïncidence curieuse, en effet. Il se trouve
que moi aussi j'ai eu affaire au dénommé
Montana. Le monde est petit.

Il la laissa pleurer un moment et il n'y eut
plus, dans la pièce, que le bruit des hoquets de la
pauvre fille. Ce spectacle n'inspirait aucune pitié
à son interlocuteur. Il savait, lui, où il voulait
en arriver et ce désarroi le servait. Plus elle se
sentirait amoindrie, diminuée, abandonnée, plus
disposée serait-elle à devenir, entre ses mains,
l'instrument docile dont il pourrait jouer à sa
guise.

— Allons, brusqua-t-il, qu'est-il exactement
pour vous, ce Michaël?

Elle releva le front et lui montra un visage
farouche où les larmes scintillaient.

— Je l'aime! cria-t-elle, comme un défi.

— Je m'en doute. Vous viviez avec lui.

— Ce n'est pas vrai!

Le cri avait jailli, sincère et indigné. Certes quand ils avaient échoué dans leur lamentable tentative, Michaël, à bout de ressources, était venu prendre une chambre dans le minable hôtel où elle-même s'était réfugiée. Mais comment cet homme cynique eût-il pu comprendre l'amour exclusif et profond qui la liait à son compagnon d'infortune, à cet archange blond et racé qui lui avait dit : « Je t'emmènerai dans ma famille et je t'épouserai. Je ferai de toi une grande dame, honorée, respectée »? Promesse miraculeuse qui l'arrachait à sa condition déprimante et la reclassait, qui abolissait ces trois années de Paris où elle s'était laissée glisser d'échec en échec sur un chemin pour lequel elle n'était pas faite.

Car cet homme qui savait tout ignorait d'où elle sortait exactement, quel avait été le milieu où elle avait vécu jusqu'à sa dix-huitième année, un milieu rude, mais sain, propre, où le sentiment de l'honneur primait toute autre considération; ce milieu où, quelques années plus tôt, on pratiquait la vendetta lorsqu'une tache souillait l'intégrité familiale.

Et qu'elle ait pu, elle, se faire, par amour, cambrioleuse de coffre-fort était une chose si insensée qu'elle arrivait à peine à l'admettre lorsqu'elle faisait un retour sur elle-même et sur sa conduite durant ces derniers jours.

— Je m'étonne seulement, exprima la voix impersonnelle, si horriblement impersonnelle, que vous ayez pu faire tant d'idioties à cause de ce jeune voyou.

— N'insultez pas Michaël! C'est un garçon très bien, protesta-t-elle. Il n'a pas eu de chance, voilà tout.

Georges Avancher haussa les sourcils et la fixa, par-dessus ses verres qui miroitaient :

— Pas de chance, parce qu'il s'est fait pincer?

— Il vous aurait remboursé, assura-t-elle avec chaleur.

— Et c'est pour qu'il me rembourse que vous avez cambriolé mon coffre, alors que vous espériez enlever les preuves de ses larcins?

Toute la rage qui l'avait, un instant, redressée, face à lui, la quitta. Elle parut accablée, détourna les yeux.

— Il ne peut rentrer en France tant que vous détenez ces papiers compromettants, articula-t-elle faiblement.

— Parfaitement. Et lorsque sera écoulé le délai que je lui ai fixé pour le remboursement, s'il ne s'est pas exécuté, j'avertis sa famille. Immédiatement.

— Vous le perdrez. Sa famille ne lui pardonnera pas. Son père est intransigeant.

— C'est bien là-dessus que je compte.

Elle jeta, véhémente :

— Si vous faites cela, son père l'obligera à s'expatrier. Il est perdu pour moi.

Les larmes roulèrent de nouveau sur ses joues

pâles. Elle les cacha dans ses mains crispées sur son visage douloureux.

Avancher la regardait sans émotion. C'était un homme froid et calculateur. Il ne perdait jamais la tête, ne se laissait, en aucune occasion, guider par la colère, le ressentiment ou le sentiment tout court. Tout se calculait chez lui en « Doit » et en « Avoir », et il n'apportait aucune transgression à cet équilibre mathématique.

Ce petit imbécile de Montana, ce fils de famille dévoyé qui avait cru le rouler, ce jeune « play-boy » faraud et prétentieux, il aurait pu le faire arrêter quand il s'était aperçu qu'il avait dilapidé les sommes dont il avait la garde. Le soir même, il l'aurait envoyé coucher au Dépôt. Détournement de fonds, cela va loin en correctionnelle. D'autant que la justice française, qui a déclaré la guerre aux jeunes voyous et les poursuit impitoyablement, surtout quand ils appartiennent à de riches familles, n'est pas tendre avec cette graine de malfaiteurs.

L'homme d'affaires avait préféré faire signer au délinquant un papier reconnaissant son méfait et lui confisquer sa carte de séjour.

« — Je te donne quatre mois pour me rembourser ce que tu m'as volé, ainsi que les intérêts. Tu vas rentrer chez toi et récupérer les fonds. Je te laisse le soin de présenter la chose comme il te plaira à ta famille. Tu trouveras bien une aide, ta famille par exemple, ou un autre truchement pour obtenir les sommes nécessaires. Si, au bout du délai prescrit, tu ne t'es pas exécuté, je remets ce papier à la justice et j'avertis ton père. Compris?

Montana avait dû s'incliner. Il était, du reste, affolé et Avancher avait très bien senti qu'il le tenait entre ses mains comme un passereau tremblant de crainte. Ce jeune et beau garçon n'avait rien d'un dur ni d'un héros. Le même soir, il repartait pour Milan, sa ville natale.

Il y avait trois mois de cela et Avancher n'avait plus entendu parler de lui. Bientôt, le terme fixé pour ce délai de mansuétude qu'il lui avait accordé allait sonner et le créancier impitoyable tiendrait sa promesse de s'adresser à la famille du débiteur récalcitrant.

Gaétane savait que cette démarche sonnerait pour elle le glas de toutes ses espérances. Que pourrait faire Michaël, placé par son père dans l'alternative de se réhabiliter aux yeux des siens, ou celle de se révolter et de venir purger une peine de prison à Paris? Avec l'espoir de revoir Gaétane et de traîner en sa compagnie, par la suite, une vie difficile comme celle qu'ils avaient menée ces derniers mois?

Gaétane, malgré tout son amour pour Michaël, ne pouvait pas exiger cela de lui. Étant donné la menace qui pesait sur sa personne, du fait de ce document compromettant détenu par l'impitoyable Avancher, il n'y avait pas de solution pour eux.

C'est pourquoi elle avait effectué cette tentative désespérée — et absurde — de subtiliser le document. Privé des preuves accablantes, Avancher n'aurait pu réaliser sa promesse dangereuse. Gaétane aurait eu la possibilité de rejoindre Michaël, de vivre en Italie, d'y trouver un emploi, en attendant que les choses s'éclaircissent. En travaillant tous deux, ils auraient fini par rembourser l'intransigeant créancier. Mais cette date fatidique ne leur laissait pas le temps de rembourser. Ils étaient pris comme dans une nasse.

Maintenant, tout était consommé. En voulant éviter le pire, Gaétane était malheureusement tombée dans un piège plus cruel qui ne lui laissait plus aucune issue.

Georges Avancher attendait que se calmât la crise de désespoir où s'abîmait sa victime. Il était bon qu'elle touchât le fond de la détresse, qu'elle se crût perdue sans rémission. Ainsi, elle serait à point pour servir docilement les plans de son inquiétant interlocuteur.

L'avant-veille, avant d'être au courant du lien qui existait entre sa cambrioleuse et son acolyte indélicat, il avait déjà échafaudé une combinaison qu'elle était supposée devoir accepter. Mais sans certitude absolue et avec tous les risques qu'une manœuvre aussi subtile comportait. Or il

avait découvert — le hasard est grand! — que
cette amoureuse éplorée et affolée s'était jetée
étourdiment dans ses filets. Il en éprouvait une
grisante impression de puissance. Cette fois, il
était sûr qu'elle se laisserait pousser tel un pion
sur l'échiquier.

Quand il la sentit à bout de larmes, chavirée
par le chagrin et le désarroi, il lui jeta d'un ton
abrupt :

— Qu'y a-t-il exactement entre vous deux?

Elle retira ses mains de son visage et le
considéra, muette, toutes ses larmes taries d'un
coup.

— Cela ne vous regarde pas!

Elle n'eût pas été plus indignée s'il lui avait
appliqué un soufflet. Elle le haïssait pour cette
incursion brutale dans sa vie intime. Elle était
trop jeune, trop vulnérable encore pour ne pas
en être blessée. Avancher, qui se piquait de
connaître les êtres et de les juger, pour une fois
s'était trompé.

En dépit des années vécues dans le trouble
milieu où les circonstances l'avaient entraînée, la
jeune Corse avait gardé le respect de certains
principes dans lesquels elle avait grandi. Son
amour pour Michaël restait pur et romanesque.
Malgré toutes les apparences, elle cultivait la
petite fleur bleue qui dort au cœur de toutes les
filles idéalistes, et elle l'avait voulue intacte

parce qu'elle croyait en Michaël, en ses promesses, en sa loyauté.

Elle avait toujours rêvé d'une robe blanche de mariée et, pour la mériter, pour que ce costume d'épousée gardât sa valeur de symbole, elle avait défendu farouchement son amour. Contre Michaël et contre elle-même. Malgré la liberté dans laquelle ils vivaient tous les deux, loin des férules familiales, avec l'exemple permanent que leur donnaient certains de leurs camarades des deux sexes plus ou moins livrés à eux-mêmes.

Sans se laisser impressionner par les regards meurtriers que lui lançait la jeune fille, l'assureur poursuivait :

— Est-ce que votre caprice pour Montana irait jusqu'au sacrifice?

— Ce n'est pas un caprice, se hérissait-elle. J'aime Michaël, je vous l'ai déjà dit! Vous ne pouvez pas comprendre ça, non?

Mise hors d'elle, elle criait, sans souci d'être entendue par quelques employés qui commençaient à arriver dans le bureau à côté. Il lui fit un signe impérieux.

— Baissez le ton, s'il vous plaît. Avez-vous donc le désir que tout le monde soit au courant de vos peu reluisantes histoires?

— Je me moque du monde, exhalait-elle d'une voix qui faiblissait. Je me moque de tout!

— Même de récupérer les documents qui ont fait de vous une cambrioleuse?

Le mot lui arracha une involontaire grimace.
Mais la phrase l'avait alertée. Elle la retourna
une seconde dans sa pensée, doutant de la
véritable signification des mots.

— Récupérer les papiers de Michaël?

Elle le dévisageait, méfiante, incrédule. Il
avait toujours un air impénétrable et sans merci.

— C'est ce que je viens de vous dire,
affirma-t-il.

— Mais comment?

— En vous pliant exactement à ce que j'attends de vous.

Il lui répétait ce qu'il lui avait dit l'avant-
veille. Il allait lui proposer un marché. Elle
savait maintenant que ce n'était pas uniquement
sa sécurité à elle qui en serait l'enjeu, mais aussi
celle de Michaël. Elle brûla d'en savoir davantage. D'avance, elle sentait qu'elle allait sous-
crire à tout. Cet homme diabolique les tenait
tous les deux et c'est de lui seul qu'il dépendait
que Michaël et elle soient réunis bientôt ou
séparés pour toujours.

— Je vous écoute, dit-elle passivement, en
baissant son regard.

Mais elle était dévorée de curiosité et avide
d'agir au plus vite. L'idée qu'elle pourrait
bientôt retrouver Michaël, que ce cauchemar de
leur séparation prendrait fin, la galvanisait et la
remplissait à la fois d'impatience et d'espoir.

Comme s'il jouait avec sa nervosité, il attira à

lui un coffret et y choisit un cigare qu'il alluma posément.

— Vous permettez?

— Oui, oui, je vous en prie! fit-elle d'une voix dont elle ne pouvait réprimer le sourd frémissement.

— Merci.

Elle sentit la fièvre battre à ses tempes.

— Voilà, dit-il enfin, se décidant à entrer dans le vif du sujet.

« Vous êtes la fille qu'il me faut pour une mission d'un genre un peu spécial. Il s'agit de devenir la fiancée de mon fils.

— La fiancée?

Les yeux de Gaétane s'agrandirent. Une intense stupéfaction la figeait. Elle resta la bouche ouverte devant l'injonction impérieuse de l'assureur :

— Ne m'interrompez pas! Mon fils est infirme et malheureusement condamné. Il vit dans le Midi, dans une propriété qu'il a héritée de son parrain. Le mal qui doit fatalement l'emporter — d'origine cardiaque — il l'ignore. Mais, en outre, son infirmité est un handicap majeur. Il se déplace difficilement et ne peut se livrer à aucune activité sérieuse.

— Mais pourquoi?

— Taisez-vous! Écoutez la suite. Mon fils est donc un grand malade. Ma sœur lui tient compagnie et veille sur lui. C'est une quinquagénaire assez originale, mais qui ne peut distraire un garçon de vingt-deux ans.

Il éleva la voix, coupant encore une fois l'exclamation qui venait aux lèvres de Gaétane.

— Attention! Le rôle que je vous propose n'a rien d'équivoque. Il s'agit d'être — pendant le temps qui lui reste à vivre — la compagne, la garde, si vous voulez, de mon fils. Pas autre chose.

— La garde, soit. Encore que je n'aie aucun titre et aucune notion d'infirmière. Mais vous avez prononcé le mot de fiancée?

— Vous allez comprendre. Mon fils s'est mis en tête de se marier. Il s'ennuie dans sa solitude campagnarde. Sa déficience physique éloigne de lui toute distraction de son âge. Par ailleurs, il voudrait se persuader qu'il est un homme. Le mariage est devenu chez lui une idée fixe. Il a écrit à des correspondantes, adresses trouvées dans des annonces de journaux, à des agences matrimoniales. Il a lui-même passé des communiqués dans certains magazines spécialisés. Il a, bien entendu, reçu des tas de réponses. Jusqu'ici ma sœur est parvenue à arrêter les lettres au départ ou à soustraire le courrier qui lui parvenait. Mais cela ne peut durer. Un jour ou l'autre, il arrivera à ses fins. Il est tellement entiché d'une présence féminine, pourvu qu'elle soit jeune et à peu près bien tournée, qu'il acceptera n'importe quelle candidate. Et il l'épousera. Malgré moi. Il est majeur. Le seul moyen de faire avorter ce projet stupide, c'est de lui fournir moi-même l'objet de sa convoitise. Je vous ai choisie.

— Pourquoi moi? balbutia Gaétane, aba-sourdie.

— Parce qu'à présent je vous tiens, décréta Georges Avancher, cyniquement. Parce que vous agirez dans le sens où je vous dirigerai. Je veux une obéissance absolue à mes directives.

Il attendit une objection qui ne vint pas. Elle méditait sur cette extraordinaire proposition.

— Vous figurerez, aux yeux de David, la « fiancée » de ses rêves, acheva-t-il.

Peu à peu, elle reprenait ses esprits.

— Cela m'engage à quoi? demanda-t-elle, prudente.

— A manœuvrer habilement — ce ne sera pas très difficile — pour laisser à David l'illusion que ce mariage se fera; cela jusqu'à l'inéluctable solution.

Elle était confondue de constater le détache-ment avec lequel il parlait de la mort proche de son fils. Elle le considérait avec une stupeur incrédule.

— Pas d'objections? ajouta-t-il, d'un ton sec.

— Heu! Non. Mais si votre fils ne se contente pas de ce rôle tout platonique? émit-elle avec un certain trouble.

La réponse fut péremptoire.

— Mon fils est un gentleman. Sa fiancée sera pour lui sacrée. Vous trouverez les raisons de lui faire accepter les délais nécessaires.

Elle hésitait, partagée entre l'ahurissement, la crainte et un subit espoir.

— Et si je ne plais pas à votre fils?

Les yeux insolents de Georges Avancher s'attardèrent sur elle. Il sembla l'évaluer comme le maquignon devant le bétail de la foire. Son sourire se fit équivoque.

— Cela m'étonnerait.

Elle n'arrivait pas encore à croire que tout ceci fût sérieux et elle se demandait ce que cachait cette offre extravagante.

— Pourquoi ne voulez-vous pas qu'il se marie? demanda-t-elle abruptement.

— Je pourrais vous répondre que cela ne vous regarde pas. Je veux bien, néanmoins, éclairer votre lanterne. Après tout, mieux vaut que vous soyez exactement renseignée. Dans l'état où se trouve mon fils, il n'y a pas une fille au monde qui accepterait bénévolement de l'épouser, sauf dans un but intéressé.

— Je vois, émit Gaétane. Mais qu'importe, si, pendant le temps qui lui reste à vivre, cette compagne se montre dévouée pour lui et lui prouve un attachement sincère?

— Vous parlez comme un livre.

Son rire éclata, grossier et déplaisant.

— Il y a un handicap, vous comprenez.

L'héritage de mon fils se monte à plusieurs millions de francs. Je ne tiens pas à le voir croquer par une fille qui n'aura d'autre mérite que de se goberger aux frais d'un pauvre impotent, durant quelques semaines ou quelques mois. Je ne pense pas que David vive plus longtemps, acheva-t-il avec une indifférence qui fit frémir Gaétane de nouveau.

L'autre continuait, sans vergogne :

— Il s'agira donc pour vous de prendre la place que pourrait occuper une aventurière, si je n'y veillais pas sérieusement, et à entretenir les espérances déraisonnables d'un être déficient et trop imaginatif. Comme tous les infirmes, mon fils David a des marottes. Je veux empêcher que ces marottes nous entraînent dans des situations désagréables pour moi. Me suis-je bien fait comprendre?

— Oh! parfaitement, dit-elle avec dérision.

— Bien.

Il ajouta :

— Naturellement, vous serez payée pour votre collaboration.

— Ce n'est pas l'argent qui m'intéresse, dit-elle.

— Je sais. L'argent est en supplément. Lorsque votre tâche prendra fin — à ma satisfaction, je présume — vous récupérerez les preuves qui menacent votre tranquillité, c'est-à-dire le petit film édifiant que j'ai pu prendre l'autre nuit.

— Vous savez que le papier que je désire le plus récupérer, c'est celui que j'étais venue chercher dans le coffre, rectifia-t-elle d'une voix inquiète. C'est là-dessus seulement que je pourrais accepter un marché avec vous.

Il se mit à rire. Un rire narquois, agaçant, sûr de lui.

— Je n'ignore rien du levier qui peut vous déterminer à devenir mon alliée. Ce marché, je l'accepte.

— Vous allez me restituer le document signé par Michaël? s'exclama-t-elle avec un fol espoir qui fit vibrer sa voix.

— Oh! pas si vite. Je peux seulement vous promettre de reculer la date de l'échéance. Le délai imparti à votre cher ami se termine dans un mois. Je m'engage à ne pas m'en servir jusqu'à ce que votre mission soit terminée. A ce moment, je vous restituerai tous les documents qui vous concernent, y compris la déclaration de Montana.

Vaguement effrayée, Gaétane restait silencieuse. Son esprit travaillait fiévreusement. Elle était tentée d'accepter et, pourtant, une vague prudence et une instinctive méfiance la retenaient de donner sur-le-champ son adhésion à ce projet rocambolesque.

Son adversaire, agacé par cette méditation, brusqua :

— La question est simple. Il n'y a que deux possibilités : d'une part, l'occasion pour vous de vivre, durant un certain temps, délivrée de vos soucis matériels et autres, dans une atmosphère confortable et même luxueuse; d'autre part, coucher, dès ce soir, en cellule. Choisissez.

Elle comprit qu'il ne tergiverserait pas plus longtemps. Elle ne résista pas. Son choix était fait. Pourtant, une dernière question lui vint :

— Qui m'assure que, lorsque vous n'aurez plus besoin de mes services, vous tiendrez vos promesses?

— Ma parole, dont vous devriez vous contenter. La logique aussi. Je n'aurai pas d'intérêt à ce que vous clabaudiez sur mon compte. D'autre part, l'héritage que vous m'aiderez à sauvegarder m'incitera à être généreux. Pour vous, pour vos services, je ferai grâce à votre ami de la somme dont il m'a frustré. Sommes-nous d'accord?

— Oui, soupira-t-elle.

C'est ainsi qu'elle avait conclu ce singulier marché.

CHAPITRE III

Le conducteur de la Mercedes avait allumé ses codes. Il pilotait à vive allure et Gaétane distinguait à peine les arbres qui filaient le long de la route. Mais soudain apparurent, détachées sur le ciel encore clair, les tourelles d'un petit château. La voiture ralentit et roula dans une allée carrossable, dont on sentait crisser le sable sous les pneus.

La voiture stoppa.

Toujours muet, l'homme vint lui ouvrir la portière. Gaétane mit pied à terre. Elle sentit l'odeur des feuilles. De l'eau miroitait à quelque distance. On distinguait des sièges blancs disposés autour de la piscine.

Le conducteur eut un geste vague pour indiquer la direction à suivre. En même temps, des lumières s'allumèrent sur la façade. Il n'y avait pas de perron et la maison donnait directement sur le jardin. Gaétane sentit ses narines s'emplir du parfum des roses et du chèvrefeuille qui encadrait les fenêtres.

Une porte s'ouvrit, découpant un rectangle lumineux sur la pénombre extérieure. Une silhouette sortit vivement et s'avança au-devant de l'arrivante. C'était sûrement une domestique.

— Mademoiselle Capucci, n'est-ce pas? dit la servante avec un accent catalan très prononcé.

— Oui, bonjour, balbutia Gaétane qui, au moment d'affronter les habitants de la Touril-lère, se sentait émue.

— Venez par ici, s'il vous plaît.

Elle s'empara de la valise et remarqua :

— Elle n'est pas lourde.

— Je puis la porter, objecta Gaétane.

— Venez donc. Madame va s'impatienter, brusqua la servante en s'effaçant pour la laisser pénétrer dans la maison.

A sa suite, Gaétane traversa le hall désert, d'un pas d'automate, en se raidissant intérieure-ment pour lutter contre la panique qui s'était emparée d'elle au moment d'aborder les hôtes de cette maison inconnue.

La femme frappa à une porte tandis que Gaétane s'arrêtait, le cœur battant.

— La personne est arrivée, madame. Puis-je la faire entrer? s'enquit respectueusement la servante stylée.

— Bien sûr, qu'elle entre, dit une voix au timbre haut et impatient.

Gaétane franchit le seuil avec circonspection. Elle fut accueillie par le feu clair et vif qui dansait dans une vaste cheminée. Cela sentait la résine. Comme pour saluer son entrée, les pommes de pin éclatèrent dans l'âtre, en une pluie d'étincelles.

Ce bruit joyeux donna du courage à l'arrivante. Elle osa lever les yeux sur l'occupante de la pièce : une dame aux cheveux gris argent, qui, sans bouger de sa place, la regardait.

— Avancez donc. N'ayez pas peur, intimat-elle.

Gaétane sourit machinalement. Son interlocutrice était assise devant une table couverte de cartes à jouer, disposées géométriquement.

— Je fais une réussite, déclara celle-ci. Aimez-vous jouer?

— Je n'en ai pas l'habitude, répliqua Gaétane, déconcertée.

— Ce n'est pas difficile et c'est un passe-temps très passionnant.

Elle eut une moue.

— On n'a guère de distractions ici.

Elle avait ôté ses lunettes pour examiner sa visiteuse et elle les balançait distraitement au bout de ses longs doigts.

— Voyons! vous vous appelez?

La phrase resta en suspens.

— Gaétane Capucci.

— Oui, en effet. C'est le nom qui signait

votre télégramme. Votre télégramme à David, spécifia-t-elle. Il m'a demandé de vous faire prendre à la gare et de préparer votre chambre.

— C'est bien aimable à lui, bafouilla Gaétane, toujours sur la réserve et désorientée.

Elle n'avançait qu'à pas circonspects dans ce rôle périlleux, soucieuse de ne pas se trahir, de ne rien dire qui puisse compromettre l'issue de son aventure.

Elle n'avait envoyé aucun télégramme et s'il y en avait eu un, il émanait de Georges Avancher. Mais il était plus logique de penser que le frère et la sœur avaient échangé une conversation téléphonique. L'hôtesse avait été avertie par l'assureur de tout ce qui concernait la jeune Corse, alors, pourquoi affectait-elle de l'ignorer? Quel jeu jouait-elle?

Dans le silence qui avait suivi, cette dernière poursuivit :

— Je suis Madame Doréac, Fernande Doréac, la tante de David. Et je dirige cette maison.

Gaétane ne trouva rien à dire. Debout devant son interlocutrice, les mains serrant son sac, elle se sentait gauche et empruntée. Tout l'insolite de la situation la paralysait.

— A ce titre, poursuivit Mᵐᵉ Doréac du même ton neutre et le visage imperturbable, je serais curieuse d'apprendre comment vous êtes entrée en relation avec mon neveu David?

— M. David ne vous l'a pas dit?

Mme Doréac eut un geste négligent.

— Oh! David... Il est toujours dans la lune, dans ses rêves et ses projets.

Gaétane se souvint soudain des instructions qui lui avaient été données. Elle fouilla fébrilement dans son sac, en sortit un fragment de feuille imprimée.

— J'ai lu l'annonce parue il y a quelques jours dans un journal et j'ai pensé qu'il serait utile pour moi de venir voir.

La dame remit ses lunettes et affecta de lire :

« Qui que vous soyez, si vous aimez la campagne, si vous souffrez de la solitude, si vous êtes jeune et saine, prenez pitié d'un jeune homme infirme et solitaire, à la recherche d'une âme sœur. Je vous assure que vous serez respectée et choyée dans ma maison de célibataire. Je souhaite, quand nous aurons fait plus ample connaissance, une union régulière et durable. »

La lectrice avait déchiffré le texte à haute voix. Elle le ponctua d'une exclamation.

— Cette annonce a dû être insérée par mon neveu. Bien sûr, j'aurais dû m'en douter.

A travers les verres, son regard se fit investigateur. Elle avait les mêmes yeux gris que son frère, moins durs, moins perçants et quelque chose de plus affable dans la physionomie.

— Ainsi, dit-elle, vous vous proposez d'être l'âme sœur?

Il n'y avait pas d'ironie dans son accent. Seulement un peu de curiosité.

— Je ne sais pas encore, répliqua Gaétane, entrant, elle aussi, dans le jeu. Il m'a semblé que je pouvais essayer.

— Pensez-vous répondre aux desiderata qu'exprime l'annonce?

— Je le pense, sans cela je ne serais pas ici. Si je me suis risquée à faire le voyage, c'est que l'appel de l'auteur de l'annonce m'a touchée. Moi-même, je suis seule et déjà meurtrie par la vie. J'aimerais trouver une affection sincère.

Elle avait pris le ton pathétique qui convenait. Puisqu'elle s'était lancée dans cette aventure, elle était décidée à tenir son rôle avec conviction.

De plus, depuis quelques instants, elle éprouvait une bizarre impression. Elle était gagnée par une sorte de bien-être qui venait de l'atmosphère chaude et confortable de ce lieu. Elle appréciait le luxe discret de la longue salle aux meubles anciens, au beau plafond sculpté. Elle qui, depuis son arrivée à Paris, avait vécu dans des habitations misérables, était sensible au décor.

La pensée qu'elle pourrait passer en cet endroit un séjour de détente et de sécurité, après la période troublée qu'elle avait vécue, commençait à la réconforter. Et elle souhaita ardemment être acceptée.

Mme Doréac lui posa des questions sur ses goûts, ses aptitudes, ses ambitions.

— Mon ambition, c'est d'être à l'abri des vicissitudes de la vie, soupira-t-elle, avec un air pénétré.

— Vous me semblez bien jeune pour parler de la vie avec un tel désenchantement, émit la dame sur un ton où se percevait pour la première fois de la raillerie.

Gaétane se prit soudain à la détester. Que savait-elle des problèmes de la jeunesse pauvre et vulnérable, cette quinquagénaire installée confortablement dans son luxe et son oisiveté?

— Quel âge avez-vous?

— Vingt-deux ans.

— C'est bien ce que je disais. Vous n'avez pas encore beaucoup d'expérience.

Gaétane réprima avec peine un sourire de dérision. C'était toujours la même chose : on se heurtait à l'incompréhension des adultes, à leurs prétentions, à leur égoïste aveuglement. Celle-ci jugeait catégoriquement du haut de son orgueil et de son ignorance. Gaétane eut envie de hausser les épaules, baissa les cils pour dissimuler la flamme hostile de ses yeux noirs, trop révélatrice. Après tout, elle était ici pour jouer la comédie, pas pour montrer ses sentiments.

— Qu'avez-vous fait jusqu'ici? interrogea Mme Doréac.

Gaétane parla de ses espoirs déçus, de sa tentative pour trouver un travail en rapport avec ses aspirations, de sa misère. Elle mêlait le vrai et le faux et arrivait à donner un ton sincère à ses déclarations.

Il lui semblait qu'elle était en train de subir les épreuves d'un examen difficile. Le passerait-elle avec succès? Tout cet interrogatoire n'était pas sans la surprendre quelque peu. La sœur se montrait beaucoup plus curieuse que son frère. Il est vrai que celui-ci s'était livré à une enquête sur sa personne.

A cet instant, Gaétane avisa, derrière la silhouette assise de son hôtesse, une portière qui dissimulait sans doute une autre pièce communicante. La portière bougeait insensiblement comme si, derrière, un courant d'air la faisait osciller. Tout en répondant à son interlocutrice, Gaétane fixait machinalement ce rideau et ses mouvements insolites. Mme Doréac remarqua son attitude. Elle eut l'air contrariée et ses lèvres émirent un « Ttt! Ttt! » qui n'avait rien à voir avec leur entretien.

Aussitôt la portière s'immobilisa. Quelqu'un était aux aguets, à l'abri de la lourde étoffe et observait Gaétane.

« David », réalisa-t-elle immédiatement.

Elle en fut gênée. Elle comprenait maintenant le sens de l'interrogatoire, la voix haute, l'aver-

tissement discret de la quinquagénaire qui s'occupait à éclairer ainsi son neveu sur la personnalité de la candidate.

Du coup, celle-ci perdit complètement son
assurance. Les yeux invisibles qui l'épiaient la
terrifièrent soudain. Si elle allait ne pas plaire?
Si elle allait échouer si près du but, si près du
port?

En face d'elle, sur la haute cheminée, la
grande glace murale reflétait sa silhouette. Elle
s'examina avec inquiétude. Cette mince personne en trench-coat, à la peau ambrée, aux
yeux sombres et inquiets, aux jambes déliées
terminées par des pieds de danseuse, est-ce ainsi
que David la voyait? Aurait-il pour elle les yeux
de Michaël?

— Vous devez être fatiguée, dit soudain
Mme Doréac, frappée par son mutisme et en
pressentant peut-être la raison. Dominica va
vous conduire dans votre chambre où vous
pourrez vous rafraîchir et vous reposer. Le dîner
est à huit heures. Si vous voulez descendre un
peu plus tôt, David vous recevra dans ce salon.
Je suppose qu'il a hâte de faire votre connaissance.

Elle étendit le bras vers le bouton de la
sonnerie. La servante surgit comme si, depuis
tout à l'heure, elle n'avait pas quitté son poste
derrière la porte.

— Conduisez Mlle Capucci à sa chambre, ordonna l'hôtesse.

— Bien, madame. J'ai déjà monté la valise.

Comme dans un rêve, Gaétane suivit.

CHAPITRE IV

Une heure plus tard, la voyageuse descendait dans le hall. Elle avait abandonné le trench-coat qui couvrait son tailleur et revêtu une robe noire, la seule robe un peu élégante qu'elle possédât, celle qu'elle portait au moment de l'audition quand elle avait passé le fameux concours, deux ans plus tôt. Dans l'échancrure du corsage, on apercevait la naissance de sa jeune poitrine, ferme et haute. Les talons de ses chaussures — encore un souvenir de cette époque où tant d'espoirs l'animaient — claquaient sur les dalles. Elle paraissait une autre femme tout à coup.

— Je suis heureuse de vous souhaiter la bienvenue, dit une voix rauque.

Gaétane sursauta violemment. Elle croyait le hall désert. D'un coin de la pièce, elle vit un être se détacher et venir vers elle. Sur un corps qui n'avait pas grandi, il avait une tête démesurée aux yeux protubérants qui se posaient

sur elle avec fixité. Il traînait ses jambes atro-
phiées et progressait lentement, à l'aide de ses
béquilles.

Elle dut faire un effort terrible pour se
maîtriser, ne pas crier l'horreur qu'elle éprouvait
à sa vue.

« Dieu merci, songea-t-elle, il ne s'agit que
d'un mariage fictif. Pour tout l'or du monde, je
ne pourrais vivre à côté de ce monstre. Je
préférerais cent fois la prison. »

Elle s'était figée sur place, s'appliquant à ne
pas trembler. Mais c'est tout ce qu'elle pouvait
faire, rester là, immobile comme une statue, à
regarder se mouvoir grotesquement cette larve.

— Je vous fais peur, dit-il sombrement.

Son ton était si amer, son masque si pathétique soudain qu'elle en fut touchée, l'effroi se
dilua, desserra sa gorge et, peu à peu, elle reprit
la maîtrise de soi.

— Pas du tout, proféra-t-elle, essayant d'adopter un accent désinvolte. J'ai été seulement surprise de vous trouver là, alors que votre tante
m'avait demandé de vous joindre au salon. Car
je suppose que vous êtes David?

— Et qui pourrais-je être d'autre? répliqua-t-il
avec humeur. David l'infirme. Car vous avez
bien lu que j'étais infirme?

— Bien sûr, je le savais.

— Et cela ne vous rebute pas?

— Je n'attache pas d'importance au **physique**,

éluda-t-elle. Je cherche une affection solide et loyale. J'ai pensé que vous cherchiez cela aussi. C'est pourquoi je suis venue.

Elle le vit soudain vaciller sur ses béquilles. Elle avança la main pour le soutenir. Il se redressa, faisant un visible effort.

— J'ai voulu quitter mon fauteuil pour vous recevoir, fit-il avec une sorte de fanfaronnade. Je peux marcher quelquefois.

Maîtrisant sa répulsion, elle le guida jusqu'au fauteuil roulant.

Il continuait à parler dans une excitation fébrile.

— Vous savez, je vous ai vue tout à l'heure pendant que vous parliez à ma tante. Je vous connais un peu déjà. J'ai entendu tout ce que vous avez dit.

Elle feignit la stupéfaction :

— Où étiez-vous donc?

— Dans mon atelier. A côté du salon.

— Votre atelier?

— Je peins, dit-il gravement. Je peins des fleurs. Toutes les fleurs. Celles du jardin et celles que j'invente. Vous aimez les fleurs?

Elle inclina la tête, dissimulant son expression.

L'idée que cet être disgracié s'appliquait à reproduire ces merveilles délicates de la nature que sont les fleurs lui semblait une grotesque anomalie.

— Je suis laid mais j'aime la beauté, souligna-t-il d'un ton de défi.

Elle marchait à côté de lui tandis qu'il faisait rouler son fauteuil dans le hall et cela la dispensa de répondre. Une insurmontable gêne la raidissait. Il la retint par sa robe, la força à se retourner :

— Vous êtes belle, dit-il sur un ton intense. Belle comme la Vierge de l'autel.

Elle faillit pouffer de rire, nerveusement. Une vierge, elle? La comparer à une figure de vitrail, avec son passé trouble, ses terribles mésaventures, les fréquentations que lui avait valu la promiscuité de certains milieux, tout l'équivoque et l'incertain de sa vie, durant ces deux années où elle s'était débattue au milieu des pièges de la capitale! Et jusqu'à ce marché qui l'amenait dans cette demeure.

— Je ne comprends pas pourquoi vous n'êtes pas mariée, poursuivit-il sur un ton vif, oppressé, qui rappela soudain à Gaétane qu'il était un grand malade. Oui, comment ne s'est-il pas trouvé un homme pour vous donner son nom, vous vouloir à lui tout seul, vous combler? Cela me paraît étrange et presque incroyable.

— Cela est, pourtant. La preuve, j'ai dû recourir à ce moyen des petites annonces pour m'arracher à ma solitude.

Elle avait parlé hypocritement, d'un ton résigné. Il hocha la tête.

— La solitude, je connais cela. Il n'y a rien de plus affreux. Mais peut-être maintenant, vous et moi, nous serons armés contre elle.

Il la considérait intensément. Ses yeux à fleur de tête lui donnaient vaguement l'air d'un batracien. Mais il y avait dans son regard, un regard clair, un regard très bleu, quelque chose de naïf et de prodigieusement sincère. En même temps qu'une sorte de supplication, un appel secret et désespéré.

Une vague de pitié afflua au cœur blessé de Gaétane.

« Pauvre être! songea-t-elle. Il a un regard d'enfant. »

Il avait son âge cependant. Vingt-deux ans, avait dit l'assureur. Et elle se sentait pourtant si vieille, si mûre à côté de lui!

Ce sentiment de commisération fut très fugitif. Sa vue lui était insoutenable. Elle détourna les yeux, dégagea sa robe de la main qui l'agrippait.

— Pour l'instant, dit-elle, je souhaite être pour vous une compagne attentive et dévouée. Il sera bon de mieux nous connaître avant de prendre une décision.

— Oh! je suis tout à fait d'accord, approuva-t-il avec véhémence. Je ne demande rien immédiatement. C'est déjà un miracle que vous soyez venue.

Le gong, dont le son cristallin se répercuta à

travers la demeure, mit fin à l'embarras de
Gaétane.

— Ce doit être le dîner? suggéra-t-elle avec
vivacité.

— Oui, je vais vous escorter jusqu'à la salle à
manger.

Il manœuvra son fauteuil pour la précéder,
tournant de profil sa tête difforme pour ne pas
la perdre du regard.

Comme ils entraient dans la salle à manger,
un homme y fit brusquement irruption, par une
autre porte. A la vue du jeune couple, il s'arrêta
net, les toisant sans mot dire. Il était grand et
large d'épaules, portait un veston croisé sur une
chemise de sport.

— Oh! dit David avec vivacité, voici
Mathieu. Mon frère Mathieu.

L'attention du nouveau venu se porta sur
Gaétane. Ce fut seulement en croisant l'acuité et
l'hostilité de son regard que Gaétane le reconnut. C'était l'homme qui conduisait le matin la
Mercedes et qu'elle avait pris pour un domestique.

David poursuivait d'un ton joyeux :

— Mathieu, Gaétane va passer quelque
temps avec nous.

— Je sais, dit Mathieu d'un ton neutre.

— C'est vrai, dit David en riant. Vous avez
déjà fait connaissance à la gare, ce matin.

— Je suis enchantée de vous connaître, pro-
nonça Gaétane poliment.

Surmontant sa surprise, elle tendit la main.
Mathieu la prit comme à regret. Elle eut
l'impression que ses minces doigts étaient broyés
dans cette large paume.

« Pas fin, le garçon », apprécia-t-elle, en
songeant qu'il devait tenir ainsi un mancheron
de charrue.

Elle n'en revenait pas de trouver dans cette
demeure aristocratique un hôte si rustre. Appa-
remment, elle ne lui était pas sympathique. Déjà,
il lui tournait le dos.

Il s'approcha de son frère et, sans autre forme
de procès, le prit sous les aisselles et l'installa sur
une des chaises.

— Je m'excuse de m'asseoir le premier, émit
David, tandis que Mathieu éloignait le fauteuil
de l'infirme qu'il roula jusqu'à un coin de la
pièce.

Un peu embarrassée de son personnage, Gaétane demeurait debout. L'entrée de Mme Doréac
causa une diversion.

— Personne n'est en retard? s'étonna l'hôtesse
en gagnant sa place, en face de David. Bravo!
jusqu'à Mathieu qui est à l'heure!

Sa voix ironisait. Mathieu grogna, haussant
les épaules, et alla s'asseoir à l'autre bout de la
table.

— Asseyez-vous près de moi, invita Fernande Doréac, s'adressant à son invitée.

Elle jeta à la cantonade :

— Félix, vous pouvez servir.

Aussitôt, un domestique surgit, portant une grande soupière d'argent qu'il présenta tour à tour aux quatre convives.

La conversation s'engagea entre l'infirme et l'hôtesse. Gaétane s'y sentait étrangère. Elle était impressionnée par le luxe du service et du décor. Elle pensait à Michaël. Qu'aurait-il dit en la voyant dans cet intérieur raffiné? Était-ce un intérieur comme celui-là qu'il habitait avec sa famille? Elle revoyait la nonchalante silhouette, les cheveux ondulés, le masque charmant aux yeux clairs, le sourire toujours prêt à éclore de l'étudiant blond qui l'avait séduite. Le mal de l'absence s'empara de son cœur et le tordit d'une douleur insupportable. Elle dut baisser les paupières pour refouler ses larmes et dérober son émotion.

A cet instant, elle sentit sur elle le poids d'un regard. Par-dessus la table, Mathieu la fixait de ses yeux sombres et brillants, des yeux sauvages comme ceux des bêtes indomptables. Leur expression était méprisante, presque féroce. Gaétane se sentit mal à l'aise. Elle essaya de détourner son attention et répondit aux questions de Mme Doréac concernant la Corse et ses coutumes. Mais toujours, à la dérobée, ses yeux revenaient vers l'homme qui l'observait comme un fauve à l'affût.

« Que me veut-il? se demandait-elle intensément. Pourquoi me fixe-t-il ainsi? On dirait qu'il cherche à me troubler, à me démonter. » Était-il au courant de la raison qui avait motivé sa venue dans cette maison et de la mission que lui avait imposée — imposée plus que confiée — le père de David?

Au fait, puisqu'ils étaient frères, Georges Avancher était aussi le père de Mathieu. D'où venait qu'il ne lui eût pas du tout parlé de celui-ci? Il avait mentionné la présence de Mme Doréac, mais nullement celle d'un second fils. Il n'y avait pas fait une seule allusion.

Gaétane se dit qu'il y avait là un mystère à éclaircir. Têtu, Mathieu la guettait toujours, tandis que, empourprée par l'agacement et en ayant conscience, elle tâchait de donner la repartie aux phrases aimables que David lui adressait. Mais elle éprouvait sans cesse une envie ridicule, irrépressible, de laisser glisser son regard vers Mathieu.

Ses traits ne ressemblaient pas à ceux de son frère. Il avait quelque chose de bohémien. Ses cheveux noirs bouclés lui retombaient sur le front et ses fortes lèvres très rouges lui donnaient un air de santé et de vitalité qui formait un cruel contraste avec la misérable apparence de son cadet.

Le dîner s'écoula, accentuant la contrainte secrète de Gaétane. David n'avait pas l'air de s'apercevoir de l'attitude singulière de Mathieu. Il se tournait parfois vers lui pour lui lancer une phrase anodine ou une plaisanterie. Il semblait très gai et très excité. Mathieu ne répondait que par monosyllabes.

Sans guère quitter sa victime de l'œil, il mangeait néanmoins avec un solide appétit, mastiquant méthodiquement comme s'il s'agissait d'un acte important. On ne pouvait pas dire qu'il eût de mauvaises manières : il tenait correctement couteau et fourchette, mais son attitude semblait un défi.

A deux reprises, Mme Doréac, manifestement horripilée par son mutisme, lui adressa la parole sans obtenir de lui autre chose qu'un monosyllabe bourru et peu explicite.

— Mais enfin, finit par remarquer David, qu'est-ce que tu as? On dirait que tu es dans un de tes mauvais jours.

— Est-ce que tu te rends compte à quel point tu manques de savoir-vivre? souligna la tante qui perdait patience.

Il leva le nez vers elle et répondit brusquement :

— Soyez tranquille, je ne vous choquerai plus. Demain je ne déjeunerai pas ici.

Et il se tourna vers Gaétane qu'il toisa d'une façon directe et brutale.

« Votre présence m'importune », disaient les yeux luisant d'une colère contenue.

— Cela ne nous manquera guère, répliqua vertement Mme Doréac. Enfin, Mathieu, quel plaisir trouves-tu à être grossier?

— Je ne suis pas grossier. Je déteste l'hypocrisie. C'est tout.

— C'est moi que tu taxes d'hypocrite? s'indigna la dame.

— Vous et d'autres.

David assistait à cette escarmouche avec ennui, mais sans partager, au moins en apparence, les sentiments véhéments de l'hôtesse.

— Oh! gémit-il, Mathieu, tu es agaçant à la fin. Tu me gâches tout le plaisir de cette journée. Et tu produis une mauvaise impression sur notre invitée. Elle va te prendre pour un sauvage.

— C'est vraiment mon dernier souci, exhalat-il dans un éclat.

Il posa brusquement sa serviette sur la table et recula sa chaise.

— Si vous le permettez, dit-il en se tournant vers la maîtresse de maison, je vais vous délivrer de ma présence.

— Va, va, dit-elle avec colère. Espèce d'ours mal léché.

Déjà il avait traversé la pièce. Il s'arrêta avant de franchir le seuil.

— Je vais fumer dehors. Quand tu voudras te coucher, David, tu m'appelleras.

— D'accord, mon grand.

Il n'y avait aucune animosité dans le ton de l'infirme qui semblait accepter avec philosophie et indulgence les sautes d'humeur de son aîné.

— Ce Mathieu devient de plus en plus impossible, décréta Fernande Doréac lorsque le jeune homme eut refermé la porte derrière lui.

David plaida :

— Vous savez bien qu'il n'est pas méchant. Il est seulement spontané et il ne peut se retenir d'exhaler sa mauvaise humeur. Il a dû avoir des ennuis à la ferme. Du fait d'une vache qui a dû mal vêler ou d'un poulain affligé de coliques.

L'hôtesse hocha la tête d'un air courroucé.

— Tu es bien trop indulgent avec lui. Tu lui passes toutes ses impertinences et même ses mufleries. Quand je pense à votre mère si douce, si raffinée. Ah! tiens, j'aurais bien voulu connaître son père. C'est de lui qu'il tient. Il devait être un vrai soudard.

— Oh! voyons, ma tante, vous exagérez. D'abord, le père de Mathieu était un héros.

Il se tourna vers Gaétane.

— Il est mort en Angleterre à bord d'un avion d'essai. Il avait réussi à emmener ma mère avec lui. Mathieu est né là-bas.

« Après l'accident, notre mère est rentrée en France et s'est remariée. Je suis né de ce mariage. Mathieu est de cinq ans mon aîné.

Ses yeux eurent une expression de tendresse.

— Il s'est toujours occupé de moi. Grâce à lui, j'ai moins ressenti ma servitude d'infirme. Auparavant, avant que je n'hérite de mon parrain cette propriété et une fortune, nous habitions près de Paris, une villa en Seine-et-Marne. Mathieu passait toutes ses soirées avec moi. Pourtant, il avait l'âge des plaisirs, des sorties nocturnes.

— Il n'a jamais aimé cela, protesta Mme Doréac qui semblait importunée par ce panégyrique de Mathieu. Il n'aime que la terre. C'est un paysan.

Elle prononçait le mot sur un ton de profond dédain.

— Je vous l'accorde. Aussi j'ai été bien heureux qu'il vienne vivre à la ferme.

— Et lui a eu bien de la chance. Il n'aurait jamais pu s'offrir une exploitation de cette importance.

— Il s'en tire très bien.

— Parce que tu ne contrôles rien et ne lui demandes jamais aucun compte. Il agit comme bon lui semble. Mais si tu n'étais pas là, il serait un simple employé, probablement mal payé.

David protesta avec vivacité.

— Mathieu est parfaitement capable de gagner sa vie, non en subalterne, mais en chef. N'oubliez pas qu'il est ingénieur agronome.

Mme Doréac bougonna :

— J'aime à croire que les ingénieurs agronomes ont des manières plus policées. Ce Mathieu manque un peu trop de distinction.

Elle fronçait les lèvres, dans une moue de suprême dégoût.

— Si nous passions au salon? proposa David pour couper court.

L'hôtesse approuva, remarquant :

— Mlle Capucci doit être fatiguée par le voyage. Ne la retiens pas, David.

— Est-ce vrai? s'informa David, en regardant Gaétane d'un air suppliant.

Mais celle-ci était encore trop énervée pour ne pas résister à cette muette prière. Elle saisit l'occasion de s'éclipser.

— J'avoue que je suis assez lasse, murmura-t-elle. J'aimerais me coucher de bonne heure.

— Alors, je vous libère, consentit David avec un soupir. J'espère que vous serez d'aplomb demain? Vous ferez connaissance avec la Tourillère. C'est mon royaume. Je voudrais que vous ayez le coup de foudre l'une pour l'autre.

Il se tourna vers sa parente.

— Moi aussi, je me coucherai tôt. Voulez-vous prévenir Mlle Félicie? Cette journée a été éprouvante pour moi. J'étais si impatient, ajouta-t-il en manière d'explication, son regard ardent venant se poser sur Gaétane.

Il pressa avec force et d'une manière significative la main qu'elle lui tendait. Le contact de cette peau moite, de ces longs doigts osseux fut désagréable à Gaétane, qui réprima un frisson.

En traversant le hall, escortée de l'hôtesse qui la conduisit jusqu'au bas de l'escalier, elle croisa une femme âgée qui portait une blouse blanche et une coiffe d'infirmière. Celle-ci eut un sourire furtif à l'adresse des deux femmes.

Mme Doréac dit négligemment :

— C'est l'infirmière de mon neveu. Mathieu l'aide tous les soirs à le mettre au lit.

Mais Mathieu ne se montra pas et Gaétane se sentit soulagée.

Elle retrouva enfin le refuge de sa chambre et, avec un soupir de satisfaction, enleva sa robe et envoya promener ses chaussures. Enfin, elle échappait à ce personnage qu'elle avait dû jouer toute la journée. Cela lui fut une volupté de se laisser tomber sur la méridienne, de s'y adosser, ses reins creusant les coussins de velours. La chambre était confortable et gaie avec ses meubles Directoire, ses boiseries d'un gris très doux, rehaussé de bleu, ses rideaux assortis. La carpette était épaisse et soyeuse et elle eut un plaisir physique à y enfoncer ses pieds nus.

Détendue, pénétrée d'un bien-être qu'elle n'avait jamais connu, elle se mit à faire le point. La dernière journée qu'elle venait de vivre avec ses péripéties un peu étonnantes et à vrai dire assez anormales, la laissaient perplexe et méditative. Elle se posait des tas de questions qui, pour l'instant, restaient en suspens.

Quand elle fut un peu reposée et bien qu'elle ressentît le besoin de dormir, elle ne voulut pas se coucher avant d'avoir écrit à Michaël. Elle tenait à le mettre au courant de tous les détails de son arrivée à la Tourillère. Elle lui parla abondamment du luxe et du confort qu'elle y avait trouvée, de l'impression qu'avaient faite sur elle les habitants du domaine, du mystère que représentait la suite de cette rocambolesque histoire.

« Je me demande, écrivait-elle, si j'aurai le courage de tenir longtemps ici, bien que ce séjour résolve momentanément les problèmes matériels qui me harcelaient depuis ton départ. Tu ne doutes pas, Michaël, que je n'ai accepté cette absurde situation que pour tenter de désarmer ce terrible Avancher qui, malheureusement, nous tient l'un et l'autre. Avec lui, je me fais l'effet d'un pion sur un échiquier. J'aspire à voir la fin de ce cauchemar.

« S'il tient sa promesse, il n'y aura bientôt plus d'entraves entre nous et je retrouverai ta présence chérie. »

Mais pourquoi fallait-il que ce grand bonheur fût lié à la mort d'un être et sa conséquence directe?

Cette idée gênait Gaétane. Sa conscience en

était troublée. Elle en avait une sorte de vague dégoût d'elle-même.

Pour échapper à ces pénibles considérations, elle avala un somnifère et gagna le lit Directoire où elle s'agita longtemps avant de sombrer dans le sommeil.

CHAPITRE V

La visite du domaine était au programme de cette première journée. Après un petit déjeuner copieux dont le raffinement du service le disputait à la succulence, la jeune fille se retrouva devant la maison.

David l'attendait, assis dans une petite voiture électrique rouge et blanche qui, posée là, sur le sable de l'esplanade, avait l'air d'un insecte d'une espèce bizarre et inconnue.

Gaétane s'aperçut avec étonnement qu'il occupait la place du conducteur. Il lui expliqua que la voiture était agencée de telle façon qu'il pouvait freiner avec sa hanche et conduire en se servant uniquement de ses mains. Tout était automatique et subordonné à ses possibilités.

Non sans une obscure crainte qu'elle essaya bravement de dissimuler, Gaétane prit le siège du passager.

— Allons-y! jeta joyeusement David qui paraissait très excité et heureux. J'espère que

vous allez aimer la Tourillère. Je voudrais tant
vous y retenir et vous garder!

Il eut un regard ardent vers elle. Elle sourit
avec contrainte tout en se recroquevillant pour
éviter son contact. Il soupira, fronça ses sourcils
pâles et la joie s'effaça de son visage souffreteux.

Il eut une petite toux embarrassée, puis,
désormais silencieux, reporta son attention sur
l'allée. Elle eut l'impression de l'avoir attristé et
le déplora. Il lui faisait pitié. Elle aurait voulu le
consoler sincèrement, sans comédie, car il était
vraiment comme un enfant pitoyable et malheureux à qui l'on refuse un jouet et qui ne
comprend pas. Mais elle avait peur, si elle se
montrait trop tendre avec lui, qu'il devînt entre-
prenant et elle sentait qu'elle ne pourrait le
supporter.

Ils contournèrent la piscine où des parasols
s'ouvraient comme des fleurs sous le soleil de
printemps. Un jardinier, qui arrachait les
plantes d'une corbeille pour les placer dans une
brouette, releva la tête à leur passage et salua le
conducteur d'un vibrant : « Bonjour, m'sieur
David! » aussi sincère que chaleureux.

L'interpellé répondit avec gentillesse. Le
même fait se renouvela un peu plus loin avec un
autre ouvrier.

— Vous avez l'air d'être aimé de votre
personnel, remarqua Gaétane.

David eut un sourire mélancolique.

— Je ne suis pas un patron exigeant, dit-il. Il faut bien que je me fasse pardonner mon aspect physique par un peu d'amabilité.

Gênée, Gaétane ne souligna pas la réflexion. On arrivait hors du couvert des arbres. Au-delà, une route de terre rouge, très rustique, serpentait le long des vignes. Le château et son parc étaient comme un îlot au milieu des ceps. Leur vert moutonnement grimpait jusqu'aux montagnes cernant l'horizon et escaladait les pentes. Les hauteurs violettes des Pyrénées encerclaient le pays d'un décor de rêve.

Au détour d'un chemin, des champs apparurent, rompant la monotonie du vignoble. Une longue bâtisse couverte de tuiles rousses annonça un lieu habité.

— C'est la ferme, indiqua David.

Gaétane esquissa un mouvement de recul. Il la regarda, par-dessus son épaule déformée.

— Mon frère ne vous mangera pas, remarqua-t-il avec douceur.

Elle se sentit rougir, mais ne trouva rien à répondre. Ils passaient sous une porte romane. Ils débouchèrent dans une cour au sol hérissé de pierres irrégulières. Les bâtiments l'encerclaient sur trois côtés.

Une rumeur sourde, confuse, venait du bétail invisible qui ruminait dans les étables. Des hommes traversaient la cour. Une femme apparut sur un seuil et se dirigea vers une autre porte, portant sur ses épaules un bât où pendaient des bidons de lait.

— Que tout cela est pittoresque! s'exclama Gaétane.

Elle se sentait soudain captivée, comme par un spectacle. En même temps, un sentiment étrange s'éveillait en elle. Elle respirait dans cette atmosphère un air connu, familier. De lointains souvenirs de son enfance rurale surgissaient vaguement en elle. Elle les écoutait se lever et l'envahir de chaleur. Elle aspira une large bouffée de cet air comme si elle retrouvait un parfum oublié.

— Bon sang! dit David en la voyant dilater les narines, cela sent terriblement mauvais, ici. Vous ne trouvez pas?

Elle le considéra, étonnée. Non, elle ne trouvait pas. Mais elle se tut. Elle se contenta de sourire. Il allongea la main et lui ouvrit la portière pour qu'elle prenne pied sur le sol.

— Où est donc passé Mathieu? s'étonna David. D'ordinaire, il vient toujours m'accueillir. Cela ne lui ressemble pas de bouder ma présence.

Elle pensa qu'il y avait à cela une raison : l'hostilité de l'aîné vis-à-vis de celle qu'il considérait comme une intruse ne désarmait pas.

Elle ne fit aucune objection et aida l'infirme à descendre. Il prit ses cannes à l'intérieur du véhicule et se traîna jusqu'à l'un des bancs de pierre qui flanquaient chaque porche.

— Eh bien, dit-il, il n'y a plus qu'à attendre le bon plaisir de Mathieu. Il ne va sûrement pas tarder. Il vous escortera à travers les communs. Je regrette de ne pas pouvoir vous y accompagner moi-même.

— Je n'ai besoin de personne, protesta-t-elle.

Un instant, elle fut tentée de renoncer à poursuivre sa visite. Elle appréhendait de rencontrer Mathieu. Mais le désir de se promener dans un lieu qui l'attirait secrètement fut le plus fort. Elle traversa la laiterie, pénétra dans les greniers pleins de foin et arriva aux écuries. On n'apercevait aucune bête. Elles étaient sans doute dans la prairie. Des garçons en salopette, hirsutes, le cheveu noir, le teint basané, nettoyaient les stalles. Ils la regardèrent passer. L'un d'eux, plus empressé, indiqua, avec un fort accent catalan :

— Le patron est là, dehors.

Son index indiquait une autre cour, derrière les bâtiments. Gaétane voulut reculer, mais déjà le garçon s'était précipité pour lui ouvrir la porte. Un rectangle de soleil s'encadra dans le chambranle et un air frais pénétra, chassant les remugles de l'écurie. L'écho de voix rudes et colorées était entré avec lui. Gaétane fut une seconde à accommoder sa vue à l'éclatante lumière avant de distinguer Mathieu, assis à

l'ombre d'un platane, au milieu d'un groupe
d'ouvriers agricoles. Il buvait à la régalade un
vin doré qui coulait au fond de sa gorge tandis
qu'il renversait la tête en arrière. Sa chemise
était ouverte sur sa poitrine large et brune. Il rit
en passant le « porro » à l'un de ses voisins. Ses
dents brillèrent. Il repoussa la mèche sombre qui
lui retombait sur le front. Alors, seulement, il
aperçut la jeune fille, plantée sur le seuil comme
si elle venait d'y prendre racine.

Le rire s'effaça de son visage et de ses yeux.

D'un bond, il fut près d'elle. Ce fut si prompt
qu'elle eut le sentiment de voir se détendre un
félin.

— Que venez-vous faire ici? demanda-t-il
brutalement.

— Je visite la ferme, bafouilla-t-elle, en levant
craintivement le bras comme pour se protéger.

— C'est à moi que vous en avez? Mon frère
ne vous suffit-il pas?

Il ajouta entre ses dents une épithète si
grossière qu'elle en resta médusée.

Le propos insultant la cingla telle un fouet.

— Vous êtes un voyou, un véritable voyou!

Elle suffoquait. Les mots s'étranglèrent dans
sa gorge.

Il ricana. Un instant il la tint sous son regard
dur et insoutenable, fascinée comme l'oiseau
terrorisé par le serpent. Enfin, elle s'arracha à
cet envoûtement et tourna les talons. Elle

retraversa l'écurie en courant, buta contre les pierres. Elle sentait sur son dos ce regard de feu qui la suivait. Elle arriva tout essoufflée près de David sans avoir pu se composer un visage.

— Eh bien, que vous arrive-t-il? s'écria David. Vous avez vu un fantôme?

« Presque », fut-elle tentée de dire. Mais elle se mordit les lèvres. Elle avait honte de sa fuite éperdue et de sa peur.

— C'est l'ombre des stalles vides qui m'a impressionnée, dit-elle, ne pouvant trouver sur-le-champ d'autre explication.

— Avez-vous trouvé mon frère?

— Je l'ai aperçu, éluda-t-elle. Il était avec ses hommes.

— Va-t-il venir?

— Je ne pense pas. Je n'ai pas voulu le déranger dans ses agapes.

David éclata de rire.

— C'est un garçon très près de la nature, dit-il, indulgent. Un vrai sauvage, n'est-ce pas? Vous ne l'avez pas encore apprivoisé. Mais ça viendra. Vous êtes charmante, ajouta-t-il avec un long regard appuyé de ses yeux fiévreux.

Elle haussa les épaules. Les compliments de David l'importunaient. La phrase insolente de Mathieu était restée en elle et la brûlait. Elle eût voulu pouvoir lui rendre la pareille, avec des mots injurieux. Après tout, qu'était-il? Pas autre chose qu'un régisseur, l'employé de David sans qui il n'occuperait pas ce poste qui le rendait si hardi. Elle rêva de vengeance. Si elle arrivait à prendre assez d'influence sur l'infirme, elle se jurait d'obtenir de lui la disgrâce complète de Mathieu. Oui, c'est cela qu'elle ferait. L'intérêt manifeste que lui portait David servirait à assouvir sa rancune.

Elle sourit à son compagnon, d'un sourire charmeur.

— Voulez-vous continuer la promenade? dit-elle d'une voix douce et tentante, en posant, pour la première fois, sa main sur le genou de l'infirme.

Il tourna vers elle sa maigre figure, irradiée d'un soudain contentement.

— Je veux tout ce que vous voulez, s'exclama-t-il avec un effort pour se mettre debout.

Elle sentit qu'elle n'aurait pas grand effort à faire pour le subjuguer. Elle pourrait le manœuvrer à sa guise. Le pauvre n'avait pas eu souvent de contact féminin.

Ils montèrent en voiture. Gaétane l'aida à s'installer au volant. Ils roulèrent entre les vignes et les champs. Dans un enclos, des chevaux gambadaient. Gaétane les admira. Il y en avait dans la ferme paternelle où elle avait vécu. Elle se souvenait, avec une sorte d'attendrissement, du bai qu'elle montait, petite fille, quand son frère la prenait en croupe. Après, elle l'avait monté seule. Elle n'avait pas peur.

— J'aimerais bien réapprendre à monter à cheval, s'écria-t-elle spontanément. C'est si amusant!

L'expression de tristesse noya le visage ingrat de David.

— Ce n'est pas moi qui pourrai vous entraîner, dit-il d'un ton un peu amer. Mathieu, s'il voulait? C'est un remarquable cavalier. Il aime les chevaux plus que les hommes. Je lui demanderai de vous dresser une bête.

— Il n'en est pas question! jeta-t-elle furieusement.

Portée sur l'air léger, l'appel d'une cloche tinta, dont le son détourna le cours de la discussion.

— La cloche du déjeuner, annonça David, soudain plus fébrile. Il faudrait rentrer. Ma tante est assez stricte sur le chapitre de l'heure et Catherine, la cuisinière, fait un drame si on laisse attendre son rôti.

Avec adresse, il tourna sur place et ils foncèrent vers le château, Gaétane emportant sur elle l'odeur forte et grisante de la ferme. Cette odeur, qu'elle le voulût ou non, s'adaptait à Mathieu et était comme une émanation de lui.

CHAPITRE VI

Dans les jours qui suivirent, Gaétane, qui s'appliquait à vivre le moment présent et repoussait toute perspective d'avenir qui eût pu la troubler, n'eut aucune peine à s'intégrer au rythme de la maison. C'était pour elle une période de découverte, la découverte d'un monde, d'un milieu qu'elle ne soupçonnait pas et où il n'y avait ni soucis d'argent, ni corvées, ni travaux pénibles. Chaque minute apportait une satisfaction, une surprise nouvelles.

On semblait ne pas connaître à la Tourillère la pénurie de personnel domestique, signe de notre époque. Mme Doréac dirigeait sans mal une domesticité importante. Elle régnait avec une incontestable majesté sur les deux femmes de chambre espagnoles, la cuisinière catalane et un couple de jardiniers. L'infirmière, Mlle Félicie, se consacrait entièrement à son jeune et pitoyable maître. Le médecin venait tous les jours. C'était un vieux praticien qui arrivait dans une modeste deux-chevaux, examinait rapidement son malade d'un air taciturne, repartait de même, après avoir échangé de brefs propos avec la maîtresse de céans. Venait aussi, deux ou trois fois la semaine, un jeune vicaire au regard brûlant avec qui David parlait interminablement de sujets sociaux et charitables. Ils étaient les seuls visiteurs admis à la Tourillère.

Sans but matinal, Gaétane se levait tard. Elle allait déjeuner auprès de David qu'on servait dans son lit. Puis, tandis qu'on l'habillait, elle allait nager dans la piscine ou faire un long tour de parc, à moins qu'elle n'eût un courrier à rédiger pour le remettre au facteur. Ses lettres avaient un unique destinataire : Michaël, à qui elle racontait par le menu ses journées à la Tourillère.

Ensuite, elle rejoignait David dans son atelier. Tandis qu'il peignait, elle mettait des disques sur l'électrophone ou lui faisait la lecture des nouvelles que relatait « le Parisien libéré » auquel il était abonné.

A midi précis retentissait le gong du déjeuner. On n'utilisait la cloche que les jours où David était sorti et se trouvait à quelque distance de la maison. Depuis le soir de l'arrivée de Gaétane, Mathieu n'avait pris aucun repas à la table de son frère. La jeune fille l'entrevoyait lorsqu'il venait aider Mlle Félicie à coucher David, mais, n'assistant pas à la cérémonie, elle avait pu éviter une rencontre qui lui eût été déplaisante.

Un après-midi, pendant la sieste de David, elle avait invité Félicie à s'installer près d'elle, autour de la piscine, avec ses tricots. Mlle Félicie ne demandait qu'à bavarder. C'était une bonne personne, mais vivant assez recluse dans la propriété d'où elle ne sortait guère, même durant son jour de liberté, à cause de l'éloignement de la ville où elle eût pu trouver quelque diversion ; elle était assez encline à juger ceux qui l'employaient et à papoter à leur sujet. Une distraction qui en valait bien une autre.

Tout d'abord, elle s'était montrée un peu réticente vis-à-vis de cette étrangère dont elle ne s'expliquait pas le rôle dans la maison. Mme Doréac la lui avait présentée comme une amie de la famille, venue distraire son neveu pour un laps de temps incertain. Cette présence insolite avait éveillé la méfiance de l'infirmière. Mais comme la nouvelle commensale se conduisait en invitée, ne semblait revendiquer aucune prérogative et n'empiétait sur les attributions de personne, les inquiétudes de Mlle Félicie s'étaient peu à peu dissipées.

D'humeur sociable, elle souffrait de se sentir solitaire dans cette demeure où le sens de sa dignité lui imposait de ne pas nouer des rapports trop familiers avec les domestiques. Au surplus, elle ne parlait pas leur langue, ne comprenant ni l'espagnol ni le catalan, et l'arrivée de cette jeune personne avenante avec qui elle pouvait frayer lui apportait une aubaine inespérée. La cordialité que lui témoignait Gaétane l'avait touchée et elle recherchait volontiers sa compagnie.

Profitant habilement de leur tête-à-tête, Gaétane la dirigeait vers les confidences. Elle la complimenta sur son efficacité et sur son dévouement vis-à-vis de l'infirme.

— Je suis là pour cela, objecta Mlle Félicie. Et David est un malade facile. Il ne se plaint jamais. Il est très doux.

— Ce n'est pas comme son frère, émit sa compagne.

Mlle Félicie se mit à rire.

— Ça, on peut dire qu'ils ne se ressemblent pas. Mais vous les connaissez bien, n'est-ce pas?

— Très peu, émit Gaétane qui se faisait les ongles distraitement. Voyez-vous, je suis venue à la Tourillère sur les instances d'une relation commune aux Doréac et à moi. Cette personne m'a parlé de la triste situation de David, de son infirmité, de sa solitude. C'est pénible pour un jeune homme de rester isolé, je veux dire, loin des jeunes de son âge.

— Il voudrait bien se marier, déclara l'infirmière sans malice. Le pauvre ne se voit pas comme il est. Surtout, il ignore que ses jours sont comptés.

— C'est ce que je trouve pitoyable. Justement j'étais libre. J'avais quelques semaines devant moi dont j'ai pu disposer. Nous avons le même âge et c'est pourquoi j'ai accepté le séjour qui m'était proposé ici. Je suis une sorte de demoiselle de compagnie momentanée, ajouta-t-elle innocemment.

— Votre présence lui fait beaucoup de bien, assura Mlle Félicie. Depuis votre arrivée, il est beaucoup plus gai, plus vivant. Ses crises nocturnes se font très rares. Le docteur le trouve mieux.

— J'en suis contente.

Il y eut un petit silence entre les deux femmes, puis Gaétane enchaîna :

— Cela vous explique pourquoi je suis si peu renseignée sur la famille, sur les antécédents de chacun.

Mlle Félicie ne se hâtait pas de parler. Elle comptait à haute voix les points de son tricot. Gaétane posa son polissoir dans le petit nécessaire qu'elle referma.

Elle prit un ton différent :

— Mathieu m'intrigue et je me demande ce que vous en pensez.

— Ce que je pense de Mathieu? C'est un être assez déroutant. Brusque, emporté, avec des sautes d'humeur imprévisibles. Et pourtant, il est très dévoué à David et semble l'aimer beaucoup.

— Oui, il l'aime comme le renard aime les poules, appréciait Gaétane, caustique. Vous ne me ferez pas croire qu'il n'y a pas d'intérêt dans cette touchante sollicitude.

— Oh! je ne peux pas affirmer que Mathieu n'escompte pas avoir, un jour, la ferme en héritage. Et peut-être davantage. C'est humain. C'est autant que n'aura pas le père de David.

— Au fait, s'informa Gaétane hypocritement, il ne vient pas souvent, le père de David. Depuis deux semaines que je suis à la Tourillère, je ne l'ai pas encore vu.

Les aiguilles d'acier restèrent en suspens devant la moue dubitative de Mlle Félicie.

— Oh! celui-là... Ce n'est pas la tendresse qui l'étouffe.

— Vraiment?

L'infirmière ne demandait qu'à satisfaire l'attente intriguée de son interlocutrice.

— Vous savez, il y a seulement un an que je suis ici, mais j'ai eu le temps de me faire une opinion. De plus, j'ai remplacé une collègue qui est restée plusieurs années au service de David. Maintenant, elle a pris sa retraite et s'en est allée tenir le ménage d'un frère, vieux garçon, qui vit en Bretagne. Tandis qu'elle me passait les pouvoirs, elle a eu le temps de me renseigner sur la famille.

— Elle était si bien renseignée elle-même?

— Dame! en douze ans...

Félicie hocha la tête et rapprocha ses sourcils grisonnants.

— Elle avait bien connu Mme Avancher, la mère de David, dit-elle à voix plus basse en jetant autour d'elle un regard circonspect.

— Tiens! Comment était cette dame? Lequel de ses fils lui ressemble-t-il?

— David, assurait Laurence, ma collègue. Il paraît que Mathieu tient de son père, un Catalan. Il a bien le type, n'est-ce pas?

Gaétane haussa les épaules.

— Je n'ai pas d'opinion sur son physique.

— D'habitude, on le trouve beau garçon. En tout cas, c'est lui qui a pris toute la beauté de la famille. Car, pour le pauvre David, il ne lui est pas resté grand-chose. C'est bien pourquoi ses parents ne l'aimaient guère.

— Comment! s'exclama Gaétane, sa mère non plus ne l'aimait pas?

— Est-ce que vous appelez aimer un infirme que de l'installer dans une villa avec une tierce personne, loin du foyer, et de n'aller le voir qu'à de rares intervalles?

— Est-il possible qu'une mère se conduise ainsi? s'étonna Gaétane.

Les aiguilles de Mlle Félicie avaient repris leur danse cliquetante.

— C'est autant dire mon amie Laurence qui l'a élevé. Il paraît que Mme Avancher était si folle de son mari qu'elle ne voulait pas le quitter une seconde. Et lui ne voulait pas du petit. Il en avait honte. D'abord, on l'a mis dans des maisons de rééducation. Puis, quand on a compris qu'il n'y avait rien à faire pour améliorer son infirmité, on l'a rendu à ses parents. Alors, ils ont loué une villa, dans la banlieue de Paris, où ils l'ont enfermé avec Laurence.

— Et sa mère ne venait pas le voir? s'indigna Gaétane, incrédule.

— Bien sûr que si. De temps en temps. Mais son mari comptait d'abord. Elle a toujours fait passer ses devoirs conjugaux avant ses obligations maternelles.

— Et l'aîné, vivait-il avec eux?

— Pensez-vous, M. Avancher n'a jamais voulu. Mathieu a été élevé par ses grands-parents paternels qui étaient fermiers chez un gros propriétaire terrien du Vallespir. Des Catalans d'origine espagnole, installés dans les Pyrénées-Orientales. Vasquez, ils s'appelaient. Mathieu a suivi des études que sa mère lui payait. Il paraît qu'elle aurait voulu faire de lui un médecin ou un avocat, un monsieur, quoi! Mais il n'aimait que la terre. Il est entré à l'École d'agriculture. A l'époque, il venait chez son frère tous les dimanches et il passait avec lui toutes ses vacances. Le parrain de David, un oncle de Mme Avancher, très riche, assumait la plupart des frais de la villa. Quand le parrain est mort, il a laissé toute sa fortune à David. Dans un sens, c'était un peu injuste, car il était aussi l'oncle de l'aîné, n'est-ce pas?

— Mathieu a dû être furieux de se voir ainsi frustré?

— Je le suppose. Pourtant, il est plutôt gentil avec David. Lui, si sauvage, ne s'humanise que pour lui.

— C'est peut-être une attitude, remarqua Gaétane sans charité.

— Peut-être. Mais le plus déçu a été le père de David. Sa femme est morte un peu avant que David ait atteint sa majorité. M. Avancher pensait bien que David lui laisserait la libre disposition de sa fortune. Ce jeune David, tout tordu qu'il est et déficient, n'a rien voulu savoir. Le père pensait qu'il vendrait la propriété et continuerait à habiter près de la capitale, non loin de lui. Il l'aurait eu ainsi sous sa coupe. David a déménagé de la villa et il est venu s'installer ici, poussé sans doute par son frère à qui il a confié l'administration de la ferme et du vignoble. Vous pensez si M. Avancher garde une dent à son beau-fils d'avoir ainsi manœuvré avec son cadet. Pour contrebalancer l'influence de Mathieu, il a pu faire accepter à David que sa sœur, Mme Doréac, vienne vivre auprès de lui. Oh! ce n'est pas une mauvaise femme. Pourvu qu'on la serve à l'étiquette et qu'elle puisse regarder sa télévision et manipuler ses cartes à longueur de journée, elle laisse la paix au personnel.

Ce long bavardage avait jeté pour Gaétane quelque clarté sur les occupants du domaine. Elle en restait un peu dégoûtée. Devant toutes les cupidités, toutes les convoitises qui s'agitaient autour des derniers mois de vie du malheureux, quelque chose, au fond d'elle, s'apitoyait.

Le personnage de Georges Avancher, surtout, paraissait très équivoque. Certes, après le petit chantage exercé sur elle par l'assureur, elle n'était pas étonnée des révélations fournies par Mlle Félicie. De toute évidence, l'homme n'avait aucun scrupule. Gaétane savait qu'elle ne devait attendre de lui aucun geste généreux. Il serait régulier avec elle tant qu'elle servirait ses desseins. Après, il agirait selon son strict intérêt.

Elle comprenait davantage maintenant pourquoi il l'avait obligée à venir. Elle était, en somme, le seul atout susceptible de contrebalancer l'influence de Mathieu sur l'esprit de l'infirme.

Grâce aux propos de l'infirmière, Gaétane se faisait une idée de la personnalité de David, des épreuves qui avaient été son lot depuis sa naissance : déficience physique, quasi-abandon de ceux qui auraient dû l'entourer et le protéger, solitude morale et, enfin, brusquement, à sa majorité, ce pouvoir que donne l'argent et qui le

faisait libre, conscient, chargé lui-même de
responsabilités puisqu'il payait de ses deniers et
réglait son propre budget.

Mais avait-il jamais connu une affection
sincère, en dehors peut-être de cette Laurence
qui s'était occupée de lui? Certainement pas.
L'intérêt animait son entourage. Chacun tablait
plus ou moins sur sa disparition prochaine.
Gaétane était prise dans ce tourbillon machiavé-
lique. Sa liberté, sa sécurité et les retrouvailles
avec Michaël, son premier et unique amour,
dépendaient de la fin prématurée du malheureux
David.

Elle s'en méprisait un peu et s'efforçait
d'éloigner cette pensée qui lui laissait une vague
nausée.

Ou bien elle essayait de se raisonner, de
pactiser avec sa conscience : certes, son rôle était
de berner David, d'abord. Mais est-ce que cela
importait puisque, de toute façon, il ne le saurait
jamais et qu'elle arrivait à lui donner les
dernières joies de sa piètre existence?

Indubitablement, sa présence apportait à l'infirme plaisir et réconfort. Elle était auprès de lui
chaque fois qu'il la réclamait, l'escortait dans ses
promenades, écoutait avec lui de la musique,
prise dans la discothèque, très judicieusement et
abondamment fournie. Elle apprenait même à
jouer aux échecs pour lui servir de partenaire.
Elle allait cueillir les bouquets qu'il se complai-

sait à peindre, non sans talent. Bref, elle lui devenait tous les jours de plus en plus indispensable.

Félicie avait raison : un mieux s'était manifesté dans son état, constaté par le docteur. Mais lorsque l'infirmière parlait d'une « véritable résurrection », le vieux praticien hochait la tête. Il connaissait, lui, ces phases d'amélioration que traversaient parfois ses patients les plus menacés et qui s'avéraient trompeuses. Il ne voulait pas se montrer trop optimiste.

Gaétane, qui pensait au délai de trois mois que David lui avait fait accepter « pour mieux se connaître » avant de prendre une décision définitive, se demandait ce qu'il adviendrait si, au bout de ce temps, David était encore là pour lui rappeler sa promesse.

Mais, comme il lui était désagréable de s'appesantir sur un sujet aussi pénible que la fin de l'infirme autour de laquelle tournaient tant de cyniques espérances, elle se refusait à regarder plus loin que le moment présent.

Un matin de la troisième semaine, David l'accueillit avec un rire heureux. Il annonça, dans un éclat malicieux :

— J'ai demandé à Mathieu de vous dresser un cheval pour des équipées dans la campagne.

— Mais je n'y tiens pas! s'exclama-t-elle.

— Allons donc! Vous en mourez d'envie. Moi, je tiens à ce que vous ne manquiez pas de distractions, dans notre coin désert. Et je me souviens que vous m'avez dit avoir fait de l'équitation.

De l'équitation, c'était un bien grand mot. Dans la ferme paternelle, elle avait souvent utilisé les chevaux pour traverser la garrigue et rejoindre la route. C'était un moyen de locomotion obligatoire, car, toute une partie de l'année, les chemins étaient impraticables. Elle montait à cru, sans aucun style, avec son frère pour compagnon. Elle était hardie à l'époque : les petits chevaux corses étaient souvent capricieux et elle les maîtrisait sans peur. Mais il y avait longtemps de cela.

Elle n'eut pas le loisir de se débattre. Mathieu survenait.

— Votre cheval vous attend, dit-il après l'avoir à peine saluée et en l'enveloppant de ce regard pesant qui l'offensait et l'exaspérait.

— Tu vas accompagner Gaétane, s'exclama David, pressant. N'est-ce pas, Mathieu? Je te la confie. Qu'il ne lui arrive rien, au moins.

— Que pourrait-il lui arriver? Je suis sûr que c'est une cavalière émérite, dit-il avec sarcasme, tandis qu'une lueur dansait dans ses yeux de bohémien.

De toute évidence, il escomptait un échec. Il était persuadé qu'elle s'était vantée en prétendant monter à cheval. Il se réjouissait perfidement à l'idée de la confondre et de la rendre ridicule aux yeux de son frère.

— Je veux assister au départ, renchérit celui-ci, très excité.

« Que suis-je venue faire dans cette galère? » pestait mentalement Gaétane que la perspective de cette sortie ne réjouissait pas du tout. Elle était sur le point de regimber et de décliner l'invite de David. Son regard revint vers l'aîné. Elle lut le défi sur le visage insolent du garçon. Il savait qu'elle allait manquer de courage. Sautant sur la proposition de David, il avait préparé toute cette mise en scène afin de la mettre au pied du mur et de jouir de sa courte honte. Le scintillement de ses yeux mi-clos était révélateur.

L'orgueil de Gaétane se cabra.

— Je vais me préparer, dit-elle en le toisant avec hauteur.

Puis, se détournant aussitôt vers le cadet :

— Pendant ce temps, David, vous pourrez vous faire transporter dehors.

Le rire joyeux de l'infirme la suivit dans le couloir.

Moins d'un quart d'heure plus tard, elle émergeait sur le terre-plein où les chevaux attendaient, tenus par un homme de Mathieu. Celui-ci était en train d'ajuster une selle sur l'une des bêtes qui secouait la tête avec impatience.

« Il l'a choisie exprès », songea Gaétane que
la colère empêchait de flancher.

David la couvait d'un regard admiratif. Elle
n'avait pu trouver autre chose, dans sa modeste
garde-robe, qu'un vieux jean et pull-over bleu
qui la moulait comme une autre peau. Sa
silhouette sportive était harmonieuse et déliée.
La secrète émotion qui marquait ses hautes
pommettes lui donnait l'éclat d'une rose thé.

Elle s'approcha du fauteuil roulant et sourit à
David.

— Je ne sais pas comment je vais m'en sortir,
chuchota-t-elle. Il y a si longtemps que je n'ai
pas approché un cheval.

David, la voix inquiète, héla son frère :

— J'espère que la monture que tu as réservée
à Gaétane est de tout repos?

— Un enfant la monterait, répliqua Mathieu
en jetant vers la jeune fille un regard sournois.

— Tu vas veiller sur elle, n'est-ce pas?

Et revenant à sa compagne :

— Si vous avez la moindre appréhension,
Gaétane, vous devez renoncer.

— Je peux très bien ramener la bête à
l'écurie, émit Mathieu, sur un ton narquois.

Elle comprit qu'il attendait cela depuis le
début. Elle n'y eût consenti pour rien au monde.
L'attitude de Mathieu la fouaillait. Elle secoua la
tête, s'efforçant de ne pas laisser passer dans sa
voix la panique qui s'emparait d'elle.

— Je suis ravie, au contraire, de pouvoir me livrer à un sport que j'aime infiniment. En route!

Elle s'approcha du cheval qu'il sanglait. Elle avança la main comme pour le flatter, mais sa main tremblante se refusa à achever le geste. Le bai lui semblait immense et menaçant.

— Je n'ai pas besoin de la selle. Je monte comme les paysans, dit-elle d'un timbre sec.

— A votre aise.

Il fit un signe à son lad qui lui abandonna la bride de l'autre cheval et vint présenter ses mains à la cavalière pour qu'elle se hissât sur le dos de la bête.

Elle le fit avec aisance, assura sa position, rassembla les rênes. Par-dessus l'épaule, elle jeta plaisamment, à l'adresse de David, pour bien montrer sa désinvolture et le calme qu'elle était loin d'éprouver :

— « Ave Cesar! » Ceux qui vont mourir te saluent.

— « Ave! » cria David joyeusement, rassuré de la voir si décontractée.

Elle planta ses talons dans les flancs de sa monture, se souvenant de la jument avec laquelle elle jouait durant son adolescence.

— Hop!

Le cheval bondit et fonça à travers le parc, vers la route.

— Hé! Attendez! cria Mathieu qui ne prévoyait pas ce départ fulgurant. Vous ne me laissez pas...

Elle n'entendait pas. Le cheval l'emportait à une folle allure tandis que les branches de sapin lui fouettaient le visage au passage.

— Elle monte comme une centauresse, apprécia David, plein d'allégresse et d'admiration. Tu as vu comme elle a filé?

Mathieu ne répondit pas. Il avait enfourché son cheval et le lançait sur les traces de la cavalière.

Celle-ci n'en menait pas large. Cramponnée à sa fougueuse monture, elle serrait les dents pour ne pas crier son effroi. Tout de suite, elle avait compris qu'elle n'avait aucune chance de la diriger. En vain cherchait-elle à retrouver les mouvements qui lui étaient autrefois familiers pour calmer la bête et la dominer.

Elle n'y arrivait pas et sa peur la rendait maladroite. Le cheval, sentant qu'il avait nettement le dessus dans sa lutte sournoise avec la cavalière, accélérait l'allure, en proie à une exaltation sauvage. Le poids léger de la jeune fille ajoutait au plaisir du jeu. Le mince corps de Gaétane sautait et ressautait sur le dos houleux du cheval. Ses doigts crispés se cramponnaient à la bride. Elle finit par la lâcher et accrocha désespérément la crinière.

« Il va me tuer », se dit-elle, horrifiée.

Elle pensa à Michaël et ensuite à David, avec

une sorte de regret inexplicable. David qui s'en voudrait tant de l'avoir lancée dans cette équipée et se sentirait responsable du drame. Du moins n'y aurait-il pas de témoin de sa burlesque défaite.

Le cheval abordait le chemin rouge. Elle vit passer les vignes à toute vitesse, se sentit soulevée comme si elle était projetée vers le ciel, éprouva un choc brutal à l'épaule et se retrouva le nez dans l'herbe, tout le corps endolori, la respiration coupée, et, elle, incapable de bouger.

Elle resta un moment ainsi, parfaitement immobile, n'arrivant pas à localiser les points douloureux, ne parvenant pas à dégager sa bouche de la terre qui la souillait et dont elle sentait le goût âpre et écœurant.

Soudain, elle perçut le bruit d'un galop et se recroquevilla sur elle-même, pensant que son cheval revenait et allait la fouler aux pieds. Elle le craignait. Il l'épouvantait comme la bête de l'Apocalypse. Le bruit s'arrêta. Elle entendit le choc mat d'un corps sur le sol, puis une voix à la fois alarmée et furieuse qui jurait :

— Bon Dieu! C'est de la folie pure! Êtes-vous blessée?

Elle gémit misérablement. Une main voulut la saisir. Elle cria :

— Aïe!

Une douleur fulgurante lui traversait l'épaule.

— Ne bougez pas. Attendez!

On la souleva avec précaution. Tous ses membres étaient meurtris. Elle se sentit palpée sur tout le corps.

— Vous avez mal, là? Et là?

Chaque point de contact était sensible et lui arrachait des gémissements. Mais la douleur s'irradiait surtout à son épaule démolie.

— Remuez le bras, insista la voix. La jambe, maintenant. Pouvez-vous vous asseoir?

Elle se laissa soulever, pencha le buste en avant, en arrière, comme il lui était recommandé, se tourna de côté et d'autre.

— A part votre épaule, il semble que vous n'ayez rien de cassé, constata la voix, maintenant calmée.

Elle ouvrit les yeux qu'elle avait tenus jusquelà obstinément fermés, comme si elle eût voulu se dérober à la réalité. Mathieu était accroupi près d'elle et l'aidait à se relever. Ses fortes mains la prirent à la taille.

— Levez-vous! intima-t-il.

— Je ne peux pas, gémit-elle.

— Vous n'avez rien au bassin?

Elle finit par se mettre debout avec son aide. Non, elle n'avait rien. Peu à peu, la douleur de son épaule prenait le pas sur toutes les autres. Mathieu la fit marcher, toucha ses hanches, lui fit remuer les doigts.

L'ironie avait disparu de ses yeux sombres qui

laissaient percer seulement de l'irritation et de la perplexité.

— Qu'est-ce qui vous a pris? demanda-t-il rudement. Vous foncez comme une folle, en croupe d'un animal que vous ne connaissez pas.

— C'est bien vous qui me l'avez amené, riposta-t-elle, soudain en colère.

— Il fallait me laisser le temps de vous donner les conseils nécessaires et les renseignements sur la manière de le traiter. Ah! vous faites une fichue amazone!

— Je n'étais pas montée depuis l'âge de treize ans, avoua-t-elle piteusement.

— Alors, pourquoi avez-vous prétendu être bonne cavalière?

— Je n'ai jamais dit ça. J'ai simplement confié à David que j'aimais les chevaux et que j'en avais monté, étant jeune. Parce que je dis la vérité, figurez-vous. J'ai monté autrefois.

— Je l'ai bien vu. Comme on monte un poney au zoo. Cette fois, vous auriez pu y rester.

Elle se mordit les lèvres, vexée.

— J'aime le cheval, mais lui ne m'aime pas. Surtout le vôtre.

Son regard se porta autour d'elle. Elle vit le cheval — son cheval — qui broutait paisiblement entre les vaches et les taureaux au pacage, à quelques mètres. Elle poussa une clameur horrifiée.

— Regardez-le! Il ne se soucie pas plus de

moi que s'il ne m'avait jamais approchée. C'est un scandale.

Son indignation était si sincère qu'une lueur amusée traversa les yeux noirs de son compagnon. Elle s'éteignit aussitôt, tandis qu'elle tendait vers lui un index accusateur.

— C'est une bête vicieuse.

— Pas du tout. Mais elle a ses manies. Si vous m'en aviez laissé le loisir, je vous aurais avertie. Il ne fallait pas l'éperonner au départ. Elle déteste cela. Autrement, elle est très obéissante et docile.

— Je m'en suis aperçue, railla Gaétane en portant avec une grimace sa main à son épaule meurtrie.

— Montrez-moi ça, intima-t-il.

— Non. Vous allez me faire mal.

— Allons! ne jouez pas les mauviettes. Vous avez eu du cran tout à l'heure. Laissez-moi me rendre compte.

Il la tâta avec précaution. Elle poussa une plainte sourde.

— Votre épaule est démise, constata-t-il. Je vais vous soigner. En attendant le docteur qui ne sera là qu'en fin de matinée. On ne l'a jamais, à ces heures-ci.

— Félicie est infirmière. Elle sait peut-être ce qu'il faut faire en pareil cas.

— Nous sommes beaucoup plus près de la

ferme que du château. Je sais remettre un membre démis. J'ai l'habitude avec les bêtes.

— Merci!

Pour la première fois, il éclata de rire.

— Oh! pardon, dit-il. Je n'ai rien voulu dire de fâcheux. Ne m'en veuillez pas.

Elle le regarda avec curiosité. C'était la première fois qu'elle l'entendait rire, la première fois aussi qu'elle lui entendait prononcer un mot d'excuse.

— Je ne vous en veux pas, dit-elle, radoucie. J'espère que David ne se doute pas de ce qui est arrivé.

Au nom de David, elle le vit se renfrogner. La gaieté s'évanouit de son visage qui reprit sa dureté.

— David ne sait pas ce que c'est qu'un cheval. En vous voyant filer comme l'éclair, il vous a crue capable de le maîtriser. Et il vous a admirée davantage, ajouta-t-il sur un ton de sarcasme agressif.

Elle se mordit les lèvres. Mais elle n'avait pas l'humeur batailleuse. Le moment était mal choisi pour une escarmouche. Elle souffrait atrocement.

— Alors? Qu'est-ce qu'on fait? demanda-t-elle avec impatience.

— Je vais chercher la voiture. Pouvez-vous vous asseoir en m'attendant?

Elle eut un cri de détresse.

— Ne me laissez pas! supplia-t-elle, en balayant autour d'elle, d'un regard épouvanté l'espace où les taureaux tournaient de leur côté leur tête carrée, curieuse et menaçante.

— Vous étiez plus brave tout à l'heure, remarqua-t-il.

— J'ai mal, proféra-t-elle d'une voix sourde, sans l'entendre.

Il prit une soudaine décision. D'un claquement de langue, il appela son cheval qui s'approcha docilement.

— Oh! non, dit-elle, dans un geste de refus craintif.

— N'ayez pas peur. Je vous tiendrai.

Il la hissa comme une plume. Elle pesait si peu dans ses bras robustes.

— Accrochez-vous aux rênes. Solidement.

Il enfourcha la bête à son tour et la fit tourner sur elle-même pour la diriger face au chemin.

— Doucement, la Brune, encouragea-t-il en tendant la main pour faire franchir le fossé à sa monture.

Gaétane ne put retenir une plainte.

— C'est le seul écueil, annonça-t-il, rassurant. Le chemin est tout droit jusqu'à la ferme maintenant.

Il noua un de ses bras autour de sa taille, l'autre main tenant ferme les rênes. Tout le long du parcours, il parla à sa jument. En catalan. Sa voix avait des intonations persuasives que l'animal semblait comprendre. Son trot paisible ne provoquait aucun sursaut chez la blessée.

Gaétane avait envie de fermer les yeux. Machinalement, elle s'appuyait au cavalier. Elle sentait sur son visage la brûlure des éraflures causées par les gifles des branches, au cours de sa folle chevauchée, et, sur sa nuque, le souffle du cavalier.

Était-il possible qu'elle fût ainsi emportée entre ces bras ennemis? Elle souffrait trop pour en ressentir une humiliation. Elle s'abandonnait avec fatalisme à son sort.

Ils arrivèrent à la ferme sans incident. Dégringolant à terre, il la fit descendre avec les mêmes précautions qu'il avait prises au départ. Quand elle toucha le sol, elle chancela et faillit tomber. Alors, il la souleva de nouveau et, la serrant contre son buste, la transporta, quasi inerte et abandonnée, jusqu'à la ferme. Dans la salle haute aux poutres sombres, il la posa délicatement près de la cheminée, au creux d'un vaste fauteuil de cuir.

« Comment cette brute peut-elle avoir des gestes si sûrs et si légers »? s'interrogeait-elle avec surprise.

A l'appel de Mathieu, une femme émergea des communs et pénétra dans la pièce. Il lui parla en catalan. Elle répondit de même, coulant vers Gaétane son regard curieux et apitoyé.

— Germaine vous enlèvera votre tricot, tandis que je vais chercher ce qu'il faut pour vous soigner, annonça-t-il.

Elle n'eut pas la force de protester. Son bras lui paraissait de plomb. La douleur de son épaule devenait de plus en plus vive.

La paysanne s'approcha d'elle et s'employa à lui retirer le pull-over en le faisant passer par-dessus sa tête. Opération qui s'avéra difficile et arracha des plaintes sourdes à la patiente. Elle apprécia que Mathieu se fût éloigné et ne l'entendît pas gémir.

Quand il revint, il avertit :

— Je vais essayer de replacer votre membre blessé. Je suis un peu rebouteux à mes heures.

— Oui, les bêtes. Je sais, dit-elle ironiquement.

Il ne releva pas le propos. Il la dévisageait.

— Vous vous sentez d'attaque pour supporter l'opération sans tourner de l'œil? Ce sera très rapide.

— J'essaierai. Allez-y.

— Bon. Un bon point pour le courage. Vous l'aviez déjà prouvé en montant Valador.

— Je suppose que Valador est mon ennemi à quatre pattes. Votre cheval si bien dressé.

— Ne revenons pas là-dessus, dit-il, conciliant. Mettons qu'il y a de votre faute et de la mienne.

Sa subite mansuétude apaisa Gaétane. Elle serra les dents, tandis qu'il promenait ses doigts experts sur l'articulation douloureuse. A un moment, elle ne put retenir un cri. Ce fut fulgurant et très bref. A la seconde, elle se sentit soulagée.

— Je crois que ça y est, dit-il. Il n'y aura peut-être même pas besoin du médecin si vous n'avez pas de fièvre par la suite.

— Vous êtes un peu sorcier.

— Non. J'ai fait quelques études vétérinaires, voilà tout.

Habilement, il lui confectionna une attelle. Quand il y eut fixé son bras, elle respira beaucoup mieux.

— Comment vous sentez-vous?

— Fort bien. Je n'ai pas envie de danser la danse du scalp, mais je peux très bien retourner à la maison par mes propres moyens.

— Sur Valador?

— Ah! non, par exemple.

— Alors, en voiture. Je vais vous reconduire. Auparavant, voulez-vous un peu d'alcool pour vous remettre?

— Jamais d'alcool.

Elle se ravisa :

— Ou alors, si. Peut-être un whisky?

— Je n'en ai pas. Je suis un paysan qui ne boit que les vins cuits de chez nous. Du banyuls ou du rancio, c'est tout ce que j'ai à vous offrir.

— Du rancio? Je ne connais pas. C'est bon?

— C'est fait dans mon chai. Vous allez en juger.

Il alla jusqu'à la vaste armoire sculptée qui tenait tout un panneau et en rapporta une bouteille. Gaétane examinait le décor; il était chaud et accueillant. Des cuivres luisaient dans les encoignures, sur les bois polis. Cela sentait bon la cire et les efforts de mains expertes et patientes. Elle se demanda qui entretenait si bien cet intérieur de célibataire. Au centre, il y avait une longue table massive, flanquée de bancs de chaque côté.

— Vous mangez ici? interrogea-t-elle.

— Avec mes hommes. Oui, la plupart du temps.

Il avait apporté deux verres et débouchonnait la bouteille. Un liquide ambré, doré, coula dans le cristal. Les verres étaient précieux. Malgré sa rusticité apparente, Mathieu semblait aimer les détails raffinés.

— Pourquoi n'êtes-vous plus revenu dîner au château? demanda-t-elle brusquement, après avoir fait tinter le verre sur ses dents éclatantes.

La face de pirate s'assombrit.

— Vous voulez le savoir?

— Je le sais, dit-elle. A cause de moi.

— C'est exact.

Elle le considéra avec amusement.

— Pourquoi? Qu'est-ce que je vous ai fait?

Il lui jeta un regard noir et irrité.

— Vous pensez peut-être que je n'ai pas compris quel était votre but en venant ici?

— Dites toujours.

— Abuser mon frère. Essayer de vous faire épouser.

— Cela aussi est exact.

Il parut un peu surpris de son acquiescement et laissa passer quelques secondes avant de déclarer sèchement :

— Alors, vous n'avez pas besoin d'autre explication pour justifier mon attitude.

Elle secoua la tête.

— Je ne la comprends pas.

Elle porta le verre à ses lèvres, avala une gorgée de rancio et eut un petit claquement de langue appréciateur. Il laissait son verre plein, attendant la suite. Son regard de fauve ne la quittait pas.

— Cela vous dérange que j'épouse votre frère?

— Vous savez bien qu'il est condamné, qu'il n'en a plus que pour quelques mois.

— Et alors? Pourquoi, pendant ces quelques mois, n'aurait-il pas le droit d'être heureux?

Il plissa le front méchamment. C'était un tout autre personnage que celui qui l'avait soignée tout à l'heure. L'hostilité se dressait de nouveau entre eux.

Il gronda :

— Le rendre heureux, c'est votre dernier souci. Et vous en êtes bien incapable. Ce que vous voulez, c'est sa fortune.

— Et vous? dit-elle insolemment, en le toi-sant.

— Il ne s'agit pas de moi.

— Oh! que si! Au contraire. Je contrecarre vos plans. Vous vous figurez que si j'intéresse assez votre frère pour qu'il m'épouse, la ferme et l'héritage vous passeront sous le nez.

Elle n'eut pas plutôt prononcé la phrase qu'elle le regretta. A cause de la transformation qui s'opérait sur les traits de son adversaire. Il eut une torsion sauvage des lèvres et elle eut peur, une seconde, de le voir se précipiter sur elle.

Il se maîtrisa, replia ses doigts qui menaçaient comme des griffes et reprit son masque impassible.

— Cela semble assez logique, en effet, dit-il d'une voix complètement dénuée d'expression. Eh bien, il semble que nos positions respectives soient bien définies.

Elle ne sut quel démon la poussait à aller plus loin et à l'aiguillonner.

— Évidemment, il vous est désagréable de constater que j'ai percé à jour les motifs de votre animosité à mon égard.

Il avala son vin d'un trait.

— Vous voudrez bien admettre que je ne m'intéresse pas du tout à l'opinion que vous avez de moi. Dans le domaine de la cupidité, vous n'avez besoin des leçons de personne.

— Je n'en attends pas. Mais je ne vois pas pourquoi vous me jugez si sévèrement, puisque vous faites preuve des mêmes sentiments intéressés. Après tout, je n'ai rien à me reprocher vis-à-vis de David. Il veut se marier. Il est d'un placement difficile à cause de ses tares physiques. Pour moi, cette union représente des avantages substantiels qui en compensent les inconvénients. C'est un marché.

— On ne peut pas dire que vous cherchez à donner des choses une version édulcorée, observa-t-il avec un mince sourire sur les lèvres. Vous êtes cynique, mademoiselle. Une petite bonne femme bien armée pour le combat dans la jungle. Mes compliments. Vous êtes vraiment très douée, pour une jeune personne.

— Merci. Venant d'un connaisseur, ce satisfecit m'honore.

Pourquoi prolongeait-elle cette escarmouche? Ils étaient comme deux duellistes qui cherchent ardemment l'endroit vulnérable et le trouvent avec une sombre joie. Pourtant, elle savait bien, elle, qu'elle n'avait rien de commun avec ce petit monstre avide et sans scrupules, sans âme qu'elle s'appliquait à lui montrer. Certes, elle n'était pas sans reproche, mais ce portrait d'elle qu'elle traçait complaisamment était faux. Il était faux qu'elle eût des sentiments intéressés, faux qu'elle fût dépourvue de sensibilité. Elle aimait Michaël, c'était là son drame et tout ce qu'elle faisait, c'était en fonction de cet amour qui lui emplissait le cœur.

Maintenant, Mathieu parlait. Son ton calme contenait une sourde menace :

— Je vous préviens d'une chose, c'est que je ne vous pardonnerai pas de causer le moindre mal à David. Si cela arrivait, vous vous en repentiriez!

— Oh! je ne cherche nullement à lui faire du mal, répliqua-t-elle avec insouciance. Au contraire.

Elle souligna le mot ambigu d'un rire déplaisant dont elle eut honte, sans pouvoir le retenir. Il n'y eut aucun écho chez lui. Posément, il débarrassait la table des verres et de la bouteille.

Quand il reparut, son visage était indéchiffrable. Son ton se fit courtois pour expliquer :

— La camionnette est à votre disposition. Je pense que vous y serez plus au large sur la banquette arrière que dans ma vieille voiture.

Il la précéda vers la porte, s'effaça devant elle au seuil de la salle. Elle soutenait son coude de sa main valide. Avant de passer devant lui, elle hésita. Elle aurait voulu le remercier, déplorant soudain que la conversation se terminât sur cette note d'animosité. Il avait été chic avec elle. Il l'avait soignée. Elle avait apprécié sa sollicitude. Pourquoi avaient-ils tout gâché en se jetant sauvagement leurs griefs à la figure?

Mais son masque était si fermé, si brutale la

tension de ses traits durs qu'elle alla jusqu'à la voiture sans prononcer une parole.

Ils n'en échangèrent pas davantage tandis qu'il pilotait rapidement la camionnette. Dès qu'il eut stoppé devant le château, il descendit de son siège pour l'aider à mettre pied à terre.

— Merci, dit-elle, tout amollie.

— De rien.

Le ton était si tranchant qu'il coupait net toute velléité de repartie. Elle tourna les talons et rentra dans la maison. Il se dirigea vers l'appartement de David et elle gagna sa chambre, réclamant au passage les services de Dominica pour l'aider à se changer.

CHAPITRE VII

Jamais Mathieu n'avait eu avec son frère une discussion aussi vive. A la nouvelle de l'accident survenu à Gaétane, David manifesta une anxiété fébrile, reprochant avec véhémence à son aîné de n'avoir pas pris les précautions nécessaires pour le prévoir et l'empêcher. Excédé, Mathieu partit en claquant la porte.

David fit téléphoner au docteur. Mme Doréac fut alertée et toute la maison désorganisée tandis que, dans sa chambre, Gaétane, qui avait senti se réveiller la douleur de son épaule, se bourrait d'aspirine.

Elle était consternée à la pensée de ne pouvoir désormais écrire à Michaël sa lettre quotidienne. Elle refusa de descendre pour déjeuner. Mlle Félicie lui monta son plateau. Elle partageait l'agitation générale. Elle confia :

— David est aux cent coups. Il a tempêté contre le docteur parce que celui-ci était absent et qu'on n'a pu le joindre et il a eu une altercation avec son frère à qui il ne pardonne pas de vous avoir fourni un cheval vicieux.

— Ce n'était pas un cheval vicieux, déclara honnêtement Gaétane. La vérité est que j'ai trop présumé de ma science équestre. J'avais parlé de mes prouesses d'enfant avec un peu trop de naïve prétention. Je n'ai jamais été bonne écuyère. Ce matin, je n'ai pas voulu me dégonfler, par orgueil, mais, au départ, je pressentais qu'il m'arriverait un pépin.

— Ce ne sera pas grave, assura Mlle Félicie, apaisante. Du moment que vous n'avez rien de cassé.

La visite du médecin confirma ses dires et rassura tout le monde. Avec beaucoup d'habileté et d'expérience, Mathieu avait fait ce qu'il fallait pour replacer le membre démis. Son pansement était correct. Il n'y avait pas nécessité de mettre un plâtre.

— Je me demande pourquoi on m'a dérangé, conclut le Dr Roux, bougon.

Il prescrivit néanmoins du repos et une poche de glace sur le coude qui restait douloureux. Félix fut dépêché à la pharmacie du village par Mme Doréac, afin d'en rapporter ce qu'il fallait.

L'ordre et le calme seraient donc revenus à la Tourillère si David, que l'émotion avait bouleversé, n'avait piqué une crise, juste avant le départ du docteur. Il fut contraint de se mettre au lit après avoir absorbé le remède qu'il prenait en pareil cas et ce fut Gaétane qui, avec son bras bandé, vint lui rendre visite.

Elle le trouva blême et tout recroquevillé dans le trop grand lit où son corps difforme s'amenuisait encore. Ses gros yeux à fleur de tête roulaient dans son masque souffreteux comme deux billes bleues.

— Je suis désolée, s'exclama Gaétane. Je suis la cause de vos malaises.

Elle lui répéta ce qu'elle avait dit à l'infirmière, déplorant son propre entêtement à tenter une prouesse dont elle n'était pas capable.

— C'est la faute de Mathieu, accusa David, rancunier.

— Pas du tout. Il ne pouvait prévoir ma maladresse, se récria-t-elle, mettant une certaine ardeur à défendre le garçon incriminé. J'espère que vous ne lui avez pas fait de reproches?

David soupira comme un enfant grondé.

— Il est parti furieux, mais il reviendra ce soir. Mathieu ne peut rester longtemps fâché avec moi.

Il souleva son buste difforme et lui jeta un regard plein de supplication.

— Gaétane, pria-t-il d'une voix un peu haletante, approchez-vous. J'ai des choses à vous dire.

Elle s'avança vers son chevet, luttant intérieurement contre cette répulsion qui la prenait toujours à son contact et que ces trois semaines de cohabitation n'étaient pas arrivées à vaincre. Elle avait beau faire, elle ne pouvait s'habituer à son physique, comme on s'habitue à une fatalité. Il lui faisait l'effet d'une de ces grotesques figures échappées à l'imagination délirante d'un imagier du Moyen Age.

Lorsqu'il tendit sa main osseuse pour effleurer les franges du châle que lui avait prêté Fernande Doréac et dont elle avait enveloppé ses épaules, elle eut un imperceptible recul.

— Vous êtes belle, Gaétane, murmura-t-il d'une voix sourde, tendue. Et si parfaite! Quand vous êtes près de moi, c'est comme s'il y avait soudain une autre lumière sur les choses qui m'entourent.

Elle eut du mal à adopter le ton léger, désinvolte, qui enlevait à ses propos toute gravité :

— Vous êtes trop gentil, David. Je suis une fille très ordinaire. Et bien maladroite, ajouta-t-elle avec un enjouement forcé en soulevant son bras emmailloté.

— Cela s'arrangera vite. Le Dr Roux l'a dit. Mais moi, je ne m'arrange pas, ajouta-t-il sombrement, tandis que ses traits se crispaient. On ne peut refaire ni ma figure ni mon corps, comme on replâtre une épaule démise.

Embarrassée, elle le regardait sans cesser de sourire, mais son sourire tremblait, tel un reflet sur l'eau. Elle ne trouvait rien à lui répondre.

Pour une fois, elle n'avait pas l'aplomb de mentir.

— Gaétane, chuchota-t-il en la fixant intensément, il y a un sujet que nous devons aborder. Vous êtes venue ici dans un but bien précis, après avoir lu mon annonce. Vous connaissez mes projets, mes désirs. Je vous ai demandé de faire un séjour à la Tourillère afin de nous mieux connaître, afin, surtout, que vous puissiez vous rendre compte si vous pouviez vous habituer à moi.

Elle éluda :

— Bien sûr, David, ce séjour établit entre nous peu à peu une familiarité qui nous rapproche jour après jour. C'était nécessaire, n'est-ce pas?

Il eut un geste suppliant.

— Gaétane, je ne peux plus attendre, parce que je commence à m'habituer à vous, à votre présence. Si vous me quittez dans quelque temps, ce sera pour moi un déchirement affreux.

— Je n'ai pas envie de vous quitter, dit-elle machinalement en pensant qu'elle ne s'engageait guère puisque, de toute façon, cela ne pourrait durer très longtemps.

— Alors, consentez à devenir ma femme! Que je sois enfin comme les autres! dit-il d'un ton vibrant et passionné en joignant fortement ses doigts maigres et pâles. Que je puisse, moi aussi, avoir à moi un être qui m'appartienne complètement.

Elle tressaillit. Lui appartenir! Cette idée la soulevait d'horreur et de dégoût. Être touchée par cet être difforme, devoir se plier à ses exigences, cette perspective la révulsait. Elle faillit crier dans une dénégation violente : « Non! Non! » et se mordit les lèvres pour empêcher les mots cruels de jaillir. Le réflexe de prudence fut le plus fort. Placée à contre-jour comme elle l'était, elle put lui dérober l'expression révélatrice de ses traits épouvantés.

— Je m'étais fixé un délai, dit-elle faiblement.

— Ne pouvez-vous l'écourter? L'impatience me ronge.

— Mais vous-même, vous me connaissez à peine, plaida-t-elle. Vous ne savez réellement rien de moi. En si peu de jours, vous n'avez pu vous habituer à moi.

— J'ai eu le coup de foudre pour vous dès la première minute! s'exclama-t-il. Maintenant, c'est chez moi une obsession. C'est cela qui me rend malade. Je suis malade de trop vous désirer, de vous vouloir à toute force dans ma vie.

Il s'accrochait à ses mains, tentait de se soulever vers elle. Elle se raidit. Ses doigts étaient comme des serres. Elle faillit crier, appeler au secours. Il la lâcha brusquement.

— Je vous fais peur! Je vous fais horreur! n'est-ce pas?

C'était comme un cri d'agonie. Il n'y avait ni révolte ni colère sur son visage soudain désespéré, mais seulement une atroce expression de désenchantement, de déception indicible, comme peut en montrer le noyé qui voit s'évanouir au loin la fumée du navire dont il avait espéré un possible secours.

— Vous ne vous habituerez jamais à moi, conclut-il amèrement en se laissant tomber, haletant, sur ses oreillers. Je suis fou de l'avoir rêvé.

— Mais non, dit-elle, émue. D'un geste spontané, elle posait sa main sur le poignet moite et si mince. Vous vous faites des idées. Je suis très bien près de vous, au contraire. Sans cela, est-ce que je continuerais à rester ici? Cela fait quatre semaines que je vis à vos crochets, remarqua-t-elle, affectant la gaieté. N'est-ce pas une preuve de sympathie, cela?

Il secoua la tête.

— Ce n'est pas de la sympathie que je cherche. Je suis trop présomptueux, n'est-ce pas?

Épuisé par l'effort, il parlait d'une voix faible.

— Vous êtes surtout trop pressé. Le temps des fiançailles a du charme. Pourquoi l'abréger?

— Vous vous considérez vraiment comme ma

fiancée? jeta-t-il d'une voix rauque, avec une soudaine flamme au fond de ses prunelles pâles.

— A quel autre titre pourrais-je demeurer dans cette maison?

Le sourire reparut sur sa face grimaçante. Pauvre sourire qui voulait espérer malgré tout!

— Chère, chère Gaétane, ma petite étoile, prononça-t-il, dans une sorte de ferveur mystique.

Elle eut soudain envie de faire demi-tour et de s'enfuir, de fuir cette chambre, ce visage pathétique et disgracieux, ces yeux qui la dévisageaient, cette voix qui la remuait, qui touchait des fibres inconnues au plus profond, au plus secret d'elle-même. Pour la première fois, elle se sentait veule, salie, honteuse de la comédie qu'elle jouait, honteuse d'elle-même. Elle eut envie de lui crier la vérité :

« Je suis ici en service commandé. Je ne vous aime pas. Je ne vous aimerai jamais. C'est impossible. Et j'en aime un autre, un garçon clair, beau, sain. C'est à cause de lui que je suis venue et que j'ai été amenée à me fourrer dans ce piège où je me débats. »

A cet instant, on frappa à la porte. Elle respira plus fort, refoulant les mots qui se pressaient déjà sur ses lèvres.

— Entrez, cria l'infirme avec humeur.

La porte s'ouvrit. Une silhouette noire appa-

rut sur le seuil. La contrariété s'évanouit sur le
masque torturé de David.

— Oh! l'abbé Gilles! Entrez, s'il vous plaît,
l'abbé.

Le jeune prêtre s'avança en souriant.

— On m'a dit que vous étiez souffrant. Je
viens prendre de vos nouvelles. Bonjour, mademoiselle.

Gaétane se recula pour lui faire place au
chevet de l'infirme. David dit simplement, en
désignant sa compagne :

— Ma fiancée.

Il sembla à Gaétane que l'abbé avait eu un
imperceptible recul. Mais, s'il fut surpris, il ne le
manifesta pas davantage, se contentant de s'incliner dans un geste cérémonieux.

David éclata de rire. Toute sa tristesse s'était
envolée. Il prit la mine d'un collégien qui vient
de jouer un bon tour.

— Cela vous étonne que je sois fiancé, hein,
l'abbé?

— Je suis ravi, dit l'abbé. Je vous félicite.
J'ignorais cette heureuse nouvelle.

— Vous êtes le premier à l'apprendre. Mais
cela sera bientôt officiel.

Il se tourna vivement vers Gaétane et lui jeta
un regard anxieux, comme s'il avait peur qu'elle
le contredît. Mais Gaétane ne dit rien. Cette
nouvelle péripétie ne faisait-elle pas partie de
son rôle?

— Votre frère est-il au courant? demanda l'abbé.

— Pas encore. Il le saura bientôt et s'en réjouira, affirma David.

Gaétane serra les lèvres. Elle était persuadée du contraire. Mais ce n'était pas à elle de détromper ce garçon ingénu et confiant. Intérieurement, elle s'amusa à l'idée de la tête que ferait l'aîné en apprenant cette nouvelle.

— Pour l'instant, reprit David, c'est un secret. Vous n'en direz rien encore, n'est-ce pas, Gilles?

Il abandonnait le titre de son interlocuteur pour l'appeler familièrement par son prénom. L'abbé promit.

— Mais votre père, objecta-t-il. Pensez-vous qu'il sera d'accord?

— Oh! je me préoccupe fort peu de son avis, riposta l'infirme, maussade. Je suis majeur.

— Bien sûr.

— Je vous souhaite d'être très heureux, formula le prêtre en tournant vers Gaétane son regard vigilant.

L'acuité de ce regard troubla Gaétane qui détourna le sien, tout en souriant vaguement.

— L'abbé est mon meilleur ami, insista David, sans s'apercevoir de la gêne qui paralysait sa fiancée. Il était notre voisin à la villa que nous occupions avant de venir à la Tourillère. Il me faisait de fréquentes visites et je lui dois d'avoir souvent échappé à mon marasme et à mon dégoût de la vie. Quand il est rentré de la Haute-Volta où il a passé deux années dans une mission, il s'est installé près d'ici, pour le temps de son congé. Nous avons de grands projets ensemble.

« Vous savez, Gilles, renchérit-il en prenant l'abbé à partie, mes fiançailles ne changeront rien à nos plans. Gaétane l'approuvera, j'en suis sûr.

— De quoi s'agit-il? demanda Gaétane, intriguée.

— Cela aussi est un secret, déclara malicieusement David en adressant un clin d'œil à l'abbé.

— Que d'énigmes! Vous jouez les sphinx, David.

L'infirme tendit la main vers Gaétane avec une moue qui s'excusait.

— Ne m'en veuillez pas, ma chérie. Nos problèmes ne sont pas faciles. Nous aurons encore beaucoup de difficultés avant de les mettre au point. Vous avez du nouveau, l'abbé?

L'abbé Gilles inclina la tête.

— J'ai fait la démarche dont vous m'aviez chargé et je vous apporte le résultat.

— Je vous laisse, s'empressa de dire Gaétane en dégageant doucement sa main de la paume fiévreuse de David.

L'abbé Gilles ouvrait sa serviette et en tirait

des papiers. L'attention de l'infirme se tourna
aussitôt vers lui. Il regarda son visiteur retirer
des photos d'une large enveloppe. L'abbé les lui
posa sur les genoux.

— Voici le dossier où j'ai rassemblé toutes
nos informations, dit-il en dépliant une série
de feuillets.

— Vous avez bien travaillé, l'abbé! émit
David avec une curieuse exaltation dans la voix.

Il avait oublié la présence de la jeune fille.
Gaétane sortit sur la pointe des pieds.

CHAPITRE VIII

Le facteur stoppa sa deux-chevaux dans l'allée
qui menait à la Tourillère. Il ne fut pas surpris
de voir la silhouette féminine qui surgit, soudain, sous le couvert des arbres. La jeune invitée
du château le guettait tous les jours, hors de
portée des fenêtres dont elle redoutait sans
doute les regards indiscrets. Il descendit pour lui
remettre son courrier.

Gaétane fut déçue. Il n'y avait pas la lettre
qu'elle espérait. Elle était sans nouvelles de
Michaël. Elle avait reçu de lui, tout au début de
son séjour à la Tourillère, alors qu'elle lui
écrivait, tous les jours, de rares et brèves lettres.
Michaël n'aimait pas écrire. Son tempérament
nonchalant ne le portait pas aux effusions
épistolaires. Gaétane devait se contenter de
quelques lignes griffonnées derrière des photos
de paysages ou de monuments, mais elles
suffisaient à Gaétane puisqu'elles commençaient

par le mot « Chérie » et se terminaient par la formule « Tendresses ».

Le pli qui lui parvenait aujourd'hui était d'un expéditeur inconnu. Tout en revenant à pas lents vers la maison, elle le déchira avec ses dents — son bras bandé ne lui étant encore d'aucun secours — et retira de l'enveloppe une formule de mandat.

Il émanait de Georges Avancher. A la colonne réservée à la correspondance, une mention tapée à la machine indiquait : « Votre indemnité pour le mois. » Gaétane ne put s'empêcher de rougir. C'était le prix de ses services qui lui parvenait ainsi mystérieusement. Le règlement de son « stage » fallacieux auprès de David. C'était, en somme, le prix de la trahison. De sa main valide, elle le chiffonna contre son pull avec répugnance.

Pourtant, sa gêne se mêlait de satisfaction. La somme arrivait à point. Gaétane était très désargentée. Les premiers subsides qui lui avaient été remis au départ par le père de David, étaient maigres. Ils lui avaient à peine suffi à acheter ses timbres, ses cigarettes, les journaux qu'elle s'était fait rapporter par Félix. Son escarcelle était plate. Comment ne pas accueillir ce bienheureux viatique? Depuis longtemps, elle n'avait pu satisfaire cette envie de dépenses, bien féminine, qui la démangeait. Sa garde-robe demandait un renouvellement et elle avait dû déployer toute son ingéniosité pour rester coquette, en utilisant les seules ressources de son vestiaire. Justement, elle allait, enfin, pouvoir s'habiller. Cette perspective la séduisait.

Tandis qu'elle revenait vers la maison, le facteur qui était allé distribuer le reste du courrier sortait des cuisines, lesté de vin doré qu'il recevait chaque fois des mains de Dominica.

Il salua allégrement la promeneuse et lui demanda, avec un sourire engageant :

— Bonnes nouvelles aujourd'hui, mademoiselle?

— Oui. Merci, dit brièvement Gaétane.

Elle ne pouvait lui remettre le mandat pour qu'il lui rapporte l'argent, ce qui l'aurait dispensée d'aller au bourg. Personne ne devait savoir qu'elle recevait des fonds secrets du père de David.

Elle supposait néanmoins que Mme Doréac devait être au courant et cela gênait si fort Gaétane qu'elle évitait, autant qu'elle le pouvait, les contacts avec la veuve. Elle avait même refusé, arguant qu'elle ne connaissait rien aux cartes à jouer, de lui servir de partenaire dans les interminables parties qui occupaient l'hôtesse de la Tourillère durant des journées entières et pour lesquelles elle se passionnait.

Le problème pour Gaétane était donc d'aller chercher elle-même son mandat, sans alerter personne. Elle saisit l'occasion qui se présenta de se faire emmener dans la camionnette du boulanger et partit, un matin de bonne heure, pour le Puig où se trouvait le bureau de poste. Le trajet fut assez long, car la camionnette s'arrêta en maints endroits pour déposer ses pains. La passagère comptait revenir par l'autocar.

Elle n'attendit pas au guichet et eut le temps de faire quelques emplettes. L'heure la ramena devant la halte de l'autocar, sur la petite place inondée de soleil. Elle commençait à s'impatienter quand elle vit passer l'abbé Gilles dans sa deux-chevaux. Celui-ci l'aperçut et vint stopper tout près d'elle.

— Vous rentrez à la Tourillère, mademoiselle?

— Mais oui.

Il s'étonna :

— Félix ne vous a pas accompagnée, ni personne du domaine?

— Je n'ai voulu causer aucun dérangement. Chacun a ses occupations. Cet autocar est très commode. Il m'amènera à la maison pour le déjeuner.

Elle montra ses paquets.

— J'avais des achats à faire.

— Alors, montez. Vous serez plus vite rendue.

Elle ne se fit pas prier et prit place à côté de lui. Elle avait un peu peur qu'il ne la questionne.

Mais il se contenta d'émettre des considérations sur la température et le paysage.

Ils passèrent devant un vaste parc cerné d'un grand mur. Les têtes des pins géants, des platanes et des micocouliers se dressaient vers le ciel. Au fond, on devinait les tourelles d'un petit château.

— Quels beaux arbres! remarqua tout haut Gaétane.

— C'est le château des Cheminières. Une propriété de deux cent cinquante hectares.

Gaétane eut un petit sifflement admiratif.

Son compagnon lui jeta un regard furtif.

— Cela ne vous dit rien?

— Rien du tout. Pourquoi?

— David ne vous en a pas parlé?

— Non. Aurait-il dû?

Le jeune prêtre s'abstint de répondre.

On arrivait à l'entrée du village et, sans en dire davantage, il se rangea devant le portillon d'une petite maison que terminait une haie fleurie.

— C'est ici le presbytère où je loge. Permettez-vous que je descende quelques instants? Je dois prendre des papiers que j'apporte à la Tourillère.

Elle acquiesça. L'endroit était charmant. Il poussa la barrière. Elle aperçut un vrai jardin de curé avec des plantes qui surgissaient partout et un vieux puits entouré de « soleils ». Au centre, deux micocouliers mettaient leur ombre épaisse que la brise faisait danser.

Elle s'assit sur le vieux banc devant la table ronde en pierre, un peu effritée par les ans.

— Je vais chercher mes documents. Veuillez patienter une minute.

— Ne vous pressez pas. C'est adorable ici et si reposant.

Elle regardait les mufliers qui mêlaient leurs teintes à la lumière dorée des tournesols. A l'église voisine, une cloche tinta. Une vieille Catalane vint apporter une cruche et un flacon qu'elle posa devant la jeune fille, avec deux verres. Son sourire était convaincant.

— C'est du cassis. Goûtez-le. Il est bon. Je le fais moi-même pour monsieur le curé.

— Merci, dit Gaétane en souriant.

Elle se sentait touchée d'elle ne savait quelle grâce. D'où venait cette attirance que la campagne et toutes les choses rustiques exerçaient sur elle?

La femme avait disparu à l'intérieur du presbytère. Sur le jardin, sur la maison déserte, sur le chemin étroit au bout de la haie pesait un lourd et frémissant silence.

Elle pensa à son enfance paysanne, à l'odeur des taillis, cette odeur de la Corse faite de tant d'effluves qui viennent de la montagne, des bois, de la mer. Elle évoquait les plages désertes où elle marchait près de sa mère, drapée éternellement dans sa cape noire, avec son foulard sur les cheveux; à sa chevelure à elle, tordue par le vent et qui lui fouettait la figure. Elle avait oublié tout cela pendant son existence parisienne. Le cinéma, les chansons, le martèlement des mains scandant le rythme des guitares et les voix des chanteurs aux cheveux longs, tout cet aspect nouveau de la vie lui avait semblé le comble de la satisfaction et de la réussite, tout cela qui était pour elle un mirage qu'elle avait souffert de ne pas atteindre et auquel elle aurait tant voulu s'intégrer, tout cela lui semblait lointain, falot, faux comme ces palais illusoires qu'on voit s'élever sur les sables du désert et qui s'écroulent dès qu'on s'approche.

— Vous ne vous ennuyez pas trop?

La voix de l'abbé interrompit sa rêverie. Elle secoua la tête.

— Non. On est si bien! C'est d'un calme chez vous! Et le cassis est délicieux.

— Nous sommes chez le curé de Saint-Laurent. C'est mon oncle. Il me donne l'hospitalité pendant mon congé. Cela me permet d'être près de David.

— Au fait, que vouliez-vous me dire à propos de David et du château des Cheminières?

Il y eut un peu d'embarras sur le visage pensif de l'abbé. Sa voix décela la contrainte.

— Je ne pense pas que David m'en voudrait de trahir notre projet. Ce château des Cheminières, tout proche d'ici, il voudrait l'acquérir pour en faire une maison destinée aux jeunes handicapés.

Gaétane accueillit la nouvelle sans surprise. Elle avait appris à connaître par leurs différentes conversations l'esprit altruiste de David.

— C'est une idée généreuse, affirma-t-elle.

Le regard profond de l'abbé se posa sur elle.

— Cela coûtera très cher, souligna-t-il. Je parle de la réalisation.

— J'entends bien.

Il laissa passer un silence, comme s'il attendait une objection.

— Je m'en doute, renchérit Gaétane. Combien pensez-vous pouvoir loger de jeunes infirmes.

L'abbé lâcha, comme à regret :

— Trois cents.

Et, comme s'il plaidait :

— Il y a tant de ces malheureux dont on voudrait pouvoir alléger l'injuste destin.

— C'est vrai.

— Au départ, dit l'abbé, David avait eu l'idée de faire construire une annexe à la Tourillère. Depuis quelque temps, il a changé d'avis.

Ceci avait été prononcé d'un ton assez significatif, presque hostile. Gaétane le regarda, étonnée. Les traits de l'abbé avaient perdu de leur cordialité.

— Pourquoi donc? enchaîna-t-elle curieusement.

— Eh bien...

Il hésita.

— Depuis votre arrivée, les plans de David sont différents. Il espère vous voir vous installer à la Tourillère. Alors, il pense que ce voisinage attristant ne vous plairait pas. Il a donc cherché à acheter un autre domaine dans le pays. Vous ne vous y opposerez pas? ajouta-t-il d'un ton vif et anxieux.

— Comment pourrais-je m'y opposer? répliqua-t-elle en le considérant fixement.

Elle sentait ses réticences et la méfiance qu'il ne pouvait cacher. Cela la blessait étrangement.

— Vous allez épouser David.

Voilà! Lui aussi s'imaginait qu'elle accepterait de devenir la riche épouse de l'infirme.

Une colère la souleva. Elle fronça le sourcil. Sa voix se durcit.

— Et alors?

Il prit le deuxième verre et se versa du cassis qu'il coupa avec l'eau de la cruche. Une abeille voletait près de Gaétane. Elle la chassa de la main. Le regard scrutateur du prêtre croisa le sien. Elle attendit sa réponse.

— Je ne pense pas que vous épousiez David par amour, dit-il avec gravité.

Gaétane rougit, une rougeur lente qui montait

du fond d'elle-même et envahit son visage. Elle baissa les paupières.

— Achevez votre pensée, répliqua-t-elle sèchement.

— Je pense que vous l'épousez par intérêt, conclut-il d'un ton neutre qui ne contenait ni douceur ni blâme.

Elle éprouva soudain le besoin de se montrer cynique.

— Et quand cela serait? Est-ce défendu de chercher son intérêt?

— J'ai des raisons de craindre que votre intérêt s'oppose aux générosités de David.

— Vous voulez dire ma cupidité? explosat-elle.

Il ne protesta pas. Ce fut comme s'il l'avait marquée au fer rouge. Elle éprouvait, lancinant et brusque, le besoin de se justifier. Elle aurait voulu se confesser à ce jeune prêtre au masque inspiré, aux prunelles insondables où brûlait sourdement une secrète et mystique passion.

Son silence était éloquent. Il la cinglait plus que des injures. Elle savait qu'il portait sur elle le même jugement, le même mépris que Mathieu et ce lui fut soudain insupportable.

— Vous vous trompez sur mon compte, ditelle.

Il eut un geste qui éludait toute explication.

— Je ne vous demande rien que l'assurance que vous n'userez pas de votre influence sur

David pour empêcher la réalisation de ce projet qui nous tient tant à cœur. Même si cela vous dépouille un peu de cette fortune que vous espérez.

— Je vous défends de parler ainsi! s'insurgea-t-elle, ulcérée. Vous me faites un procès d'intention. Vous n'avez pas le droit de préjuger de ce que je pense.

— Pardonnez-moi si je vous blesse. Je n'en avais pas le désir.

— Vous ne pouvez pas comprendre, jeta-t-elle entre ses dents serrées.

Des larmes roulèrent sur ses joues. Elle les essuya farouchement. Le ton de l'abbé se radoucit.

— En effet, dit-il, j'ai tort et je m'en excuse humblement. Nul ne peut préjuger les motifs qui font agir les ressorts secrets de l'âme. Peut-être la pitié entre-t-elle pour une part dans votre intention d'épouser David.

Elle fut sur le point de crier :

« Mais je n'épouserai pas David! C'est de la frime. Je l'entretiens dans cet espoir illusoire. Et cela parce que j'ai conclu un marché dont l'enjeu m'est plus précieux que ma vie. »

Elle ravala les paroles qui se pressaient déjà sur ses lèvres et affirma avec colère :

— J'ai de l'affection pour David. Quand je suis arrivée, je ne le connaissais pas. Je n'éprouvais rien que de la curiosité. Mais c'est vrai que je le plains maintenant. Je le plains d'être ce qu'il est, infirme, condamné, abandonné comme une proie facile aux convoitises. Vous dites que je suis intéressée? Mais, autour de lui, qui ne l'est pas? Chacun cherche à profiter de sa fortune et tire sur lui à boulets rouges.

— Je ne suis pas un profiteur, émit l'abbé de sa voix calme.

— Il ne s'agit pas de vous! protesta-t-elle en haussant furieusement les épaules. Vous, ce que vous réclamez de lui ne peut que lui être profitable, parce que cela lui donne l'occasion de sortir de lui-même et de cet avide entourage, et d'exercer sa générosité dans un but qui le touche au cœur. Mais les autres, son père, sa tante...

— Vous connaissez son père? s'étonna l'abbé.

Elle se mordit les lèvres et continua, sans répondre :

— Et son frère, ce demi-frère? Ah! celui-là, il ne profite pas de lui peut-être? Sans même le remercier, comme si tout ce que fait David en sa faveur lui était dû.

— Je crois que vous vous trompez sur Mathieu, dit doucement le prêtre. Il est dévoué à David.

Son ton calme contrastait avec l'accent passionné qui marquait celui de la jeune fille.

— Vraiment? Pensez-vous qu'il resterait ici s'il n'espérait pas être, un jour, le propriétaire de

cette ferme que David lui a confiée, s'il n'avait
pas une jouissance malsaine à jouer au maître, à
commander à du personnel nombreux, à rouler
en Mercedes. Cette maison est un panier de
crabes où chacun roule à hue et à dia pour en
tirer le plus possible de profit personnel.

Elle croisa le regard honnête de son interlocuteur et rougit.

— Oui, je sais. Vous vous dites que je suis
mal venue à parler ainsi, moi qui ambitionne de
dominer David et qui joue avec sa solitude
morale, avec ses sentiments pour mieux m'ap-
proprier son argent. N'est-ce pas cela que vous
pensez?

— Je mentirais si je déclarais le contraire.
Mais je trouve que c'est humain.

— Eh bien! alors, que je me joigne à ce chœur
de mendiants, à ces acharnés, à ces ambitieux, à
cette bande de coyotes, qu'est-ce que cela peut
faire? En quoi suis-je plus blâmable que les
autres?

— Vos paroles vont un peu loin, dit-il, avec
un demi-sourire. Et je ne vous blâme pas. Je
m'inquiète seulement.

— En tout cas, ce que je peux vous affirmer,
c'est que je ne ferai rien pour empêcher David
de donner des capitaux à votre œuvre commune.
Même je l'y aiderais, si cela dépendait de moi.
Me croyez-vous?

Elle le considérait avec anxiété.

— Je vous crois.

Un soupir échappa à Gaétane. Son visage se détendit. Elle serra la main du prêtre.

— Vous êtes une étrange personne, émit-il en la dévisageant de son œil grave et étonnamment lucide. Insolite, déconcertante et, dans un sens, plutôt rassurante.

Elle hocha la tête.

— Je vaux peut-être mieux que les apparences.

— Je ne vous ai pas jugée sur des apparences, mais seulement sur un certain comportement que je ne comprends pas. Je continue à ne pas comprendre, mais je pense que vous êtes peut-être, au fond, une personne très valable.

Elle rougit de plaisir.

— Merci de votre confiance. Elle me fait du bien.

Ils remontèrent en voiture et gardèrent le silence jusqu'à la Tourillère, chacun absorbé par les paroles de cet entretien, qui se prolongeaient longuement en eux.

CHAPITRE IX

Gaétane émergea de sa piscine et frissonna car l'air matinal était vif. Félicie, l'air toujours d'une petite souris échappée de son trou, lui fit des signes mystérieux.

— Il est arrivé un message pour vous. Je l'ai pris des mains du télégraphiste.

Elle baissa la voix. Ses paupières papillotèrent :

— Madame est curieuse. Elle a l'air de s'intéresser beaucoup à tout ce qui vous touche. Un télégramme. Elle aurait été capable de l'ouvrir !

Gaétane s'essuyait en hâte. Elle prit le papier bleu des mains de l'infirmière et déchira le pointillé. Son regard alla tout de suite chercher la signature.

Michaël! Son cœur se mit à battre follement.

« Peux-tu me retrouver mercredi vers quatre heures trente au café des Platanes, sur la place du Castillet? »

Tel était le libellé de l'appel qui provoquait en elle un remous de joie et apaisait ses anxiétés secrètes.

Il y avait maintenant six semaines qu'elle était à la Tourillère et elle n'avait reçu que fort peu de courrier de son ami italien en réponse à ses correspondances presque quotidiennes. Gaétane avait beau savoir que Michaël n'aimait pas écrire, encore qu'il s'exprimât très bien en français, elle trouvait le temps long. Maintenant, elle était rassurée. Ce silence s'expliquait. Michaël préparait la surprise de ce rendez-vous inopiné dont l'annonce la faisait frémir d'allégresse. L'idée qu'en ce moment même il venait vers elle — par quel moyen? le bref libellé ne la renseignait pas — la fit exulter. Elle se mit à rire tout haut.

— Eh bien! voilà une nouvelle qui vous rend contente, remarqua avec un plaisir évident la brave Félicie.

— Félicie, je vous adore!

Elle plaça deux baisers claquants sur les joues de la vieille fille, attrapa son peignoir, glissa ses pieds mouillés dans les sandales de bain et courut vers la maison en faisant joyeusement claquer ses semelles sur les dalles.

Le nom de Michaël flambait en elle comme une torche.

Cher Michaël aux réactions fantaisistes et

inattendues! Comment avait-il fait pour échapper à la tyrannie paternelle? L'image du beau jeune homme qui était dans son cœur et dans sa vie émergea, plus claire, plus présente de ses souvenirs et amena un sourire attendri sur son visage heureux.

Dans le hall, elle rencontra Fernande Doréac qui l'examina avec surprise :

— Vous êtes bien pressée?

Bien sûr, il n'était pas question de manquer le car. Car on était mercredi. Et le rendez-vous précisait mercredi à seize heures trente. Elle avait juste le temps de s'habiller et de gagner la halte. Auparavant, elle devait prévenir David, David qui avait tant besoin de sa présence. Aujourd'hui, David passait au second plan. Ce qu'il penserait de son absence, elle s'en souciait peu.

Elle serra sa cordelière autour de sa taille, lissa machinalement ses cheveux mouillés, avant de frapper à la porte de l'infirme. Elle s'appliqua à retrouver son apparence calme, à faire taire son excitation intérieure.

Son intrusion dans la chambre amena un large sourire sur la face ingrate que la joie transformait.

David était calé sur ses oreillers. Il désigna le plateau posé sur sa table de malade :

— Vous venez déjeuner avec moi? Comme c'est gentil!

— Hélas! non, David. Je voudrais bien, mais je désire justement m'excuser de ne pouvoir rester avec vous. Il faut que je me rende d'urgence à Perpignan.

— A Perpignan? s'étonna-t-il, en haussant ses sourcils broussailleux.

Sa voix contenait une interrogation.

Elle improvisa rapidement :

— Un essayage. Un essayage que je ne peux retarder. Je n'ai plus rien à me mettre et je...

Il éclata de rire.

— Oh! si ce sont des questions vestimentaires, je comprends votre hâte. Quand la coquetterie est en jeu, on doit se soumettre à ses lois, toutes affaires cessantes.

— La couturière est pressée. Elle m'a réservé cet après-midi.

— Il ne faut pas la faire attendre. Mais je doute qu'elle puisse vous rendre plus jolie, dit-il en attirant vers sa bouche la fine main brune.

Gaétane la lui abandonna, souriant d'un air contraint.

— Il faut que je me sauve. Je ne veux pas rater l'autocar de dix heures.

— L'autocar? Il n'est pas question que vous utilisiez l'autocar!

— Mais, David...

Il l'interrompit brusquement, prenant un ton piteux :

— Malheureusement, je ne peux pas vous

accompagner. Le docteur m'a défendu de conduire la voiture pendant quelques jours.

— Je peux très bien me rendre à pied jusqu'à la halte.

— Pas du tout. Mathieu vous accompagnera.

— Mathieu! Mais je ne veux pas déranger Mathieu! protesta Gaétane.

— Vous ne le dérangerez pas. Il adore conduire. Je vais lui faire téléphoner.

Gaétane rongeait son frein. L'idée de se faire escorter dans cette expédition par le « sauvage » de la ferme lui était infiniment désagréable. Mais elle ne trouva aucune raison pour refuser la proposition de David.

Une demi-heure plus tard, elle entendit les roues de la voiture crisser sur le sable de l'allée. Mathieu était au volant. Il ne se dérangea pas lorsqu'elle arriva, se contentant de la saluer d'un vague signe de tête.

Digne et détachée, elle s'installa à côté de lui. Il émit un vague grognement :

— Direction?

— Perpignan.

— Bon.

Il se renferma dans un silence hargneux. Agacée, elle tenta de le rompre.

— Il paraît que le mercredi est jour de marché?

— Vous avez l'intention d'acheter de l'avoine ou des porcs?

— Non. Les colifichets me suffisent. Une robe, pour ne rien vous cacher.

— Alors, le marché n'a aucun intérêt. C'est une manifestation purement agricole. Vous ferez beaucoup mieux de courir les boutiques.

— Figurez-vous que je sais ce que j'ai à faire. Si je parlais du marché, c'est parce que je pensais au côté pittoresque. Jusqu'à présent, je n'ai jamais eu l'occasion de voir un marché catalan.

— Il ne diffère guère des autres. La coiffe catalane se perd de plus en plus. Tout tend à s'unifier et à se banaliser.

Sur cette remarque sans originalité, il s'absorba dans la conduite de la voiture et dans un mutisme que Gaétane partagea. Il avait réussi à ternir sa joie. Elle était bardée d'hostilité contre lui. Son mutisme lui semblait insultant, le signe évident du mépris qu'il continuait à lui manifester. Il la jugeait comme une jeune personne tout à fait négligeable et qui ne méritait pas qu'on fît le moindre effort pour lui plaire. Patience! Peut-être serait-elle bientôt débarrassée de sa vue! Le rendez-vous fixé par Michaël allait peut-être changer son existence du tout au tout.

Le conducteur roulait à une folle allure sur la route inondée de soleil. Les feuilles avaient remplacé le nuage rose sur les pêchers et les abricotiers. L'air, à cause de la proximité des montagnes, était d'une incroyable pureté. Elle

eût voulu pouvoir contempler le paysage, mais
celui-ci défilait à une telle vitesse qu'elle en était
comme suffoquée.

— Vous ne pourriez pas aller un peu moins
vite? suggéra-t-elle.

Il aboya :

— Si vous vous figurez que j'ai le temps de
faire du tourisme. J'ai laissé des travaux en
souffrance, à la ferme.

— Pourquoi donc avez-vous accepté de me
conduire?

— Je n'ai rien à refuser à mon frère, dit-il
brièvement.

— C'est vrai. J'oubliais qu'il était aussi votre
patron.

Il ne releva pas le propos, mais accéléra
encore sa vitesse si bien qu'elle ne put que
s'agripper aux coussins de cuir, tous les muscles
des mollets crispés dans l'effort instinctif qu'elle
faisait pour un simulacre de freinage.

Elle essaya de penser à Michaël. Le film de
leur rencontre, de leur amour, de leur séjour à
Paris et de leurs vicissitudes défilait dans sa
mémoire.

Cela avait été une de ces rencontres comme
il s'en produit entre jeunes : on sympathise tout
de suite, on se tutoie et on se baptise « copains ».

La conjoncture se produisit au moment même
où Gaétane, ayant vu s'écrouler les espoirs qui

l'avaient attirée dans la capitale, essayait désespérément de faire surface, de se cramponner à ce Paris d'où elle ne voulait pas partir en vaincue, comme une domestique renvoyée, pour revenir à son obscurité. En avait-elle monté des escaliers, fait le pied de grue dans les antichambres, interrogé les petites annonces, visité les agences, multiplié les demandes! Jusqu'à l'écœurement. Dans un sens, elle était difficile, car elle ne voulait pas faire n'importe quoi. Après plusieurs essais, elle avait fini par trouver une place de présentatrice pour des appareils ménagers. Cette occupation lui laissait la liberté de ses soirées qu'elle employait à des tentatives artistiques.

Michaël était étudiant aux Arts décoratifs, ce qui était un prétexte suffisant pour que son père, un Milanais de la vieille école, lui permît un séjour dans la capitale parisienne, séjour qu'il finançait, bien entendu. A vrai dire, Michaël se souciait peu du dessin et de l'architecture. Son ambition était de réussir dans la chanson. La gloire des idoles hantait ses rêves. Son ambition le poussait beaucoup plus à fréquenter les maisons de disques et les concours de chant que les bancs de l'université. Il avait un physique de jeune premier. Quant à la voix, avec les moyens actuels, il n'est pas besoin de posséder l'organe de Caruso pour se faire entendre des foules.

Michaël s'était mis à fréquenter les clubs où prolifèrent les jeunes talents et où scintillent, comme des comètes fulgurantes, les vedettes du moment. Tous ces jeunes chanteurs turbulents traînant derrière eux leurs « fans » le fascinaient.

C'est dans cette faune tapageuse que Michaël découvrit Gaétane. La jeune Corse essayait de s'accorder à la frénésie et à l'engouement pour s'accrocher à quelque chose, mais, en elle, elle ne s'associait pas sincèrement à cette folie collective. Un certain atavisme, un fond de bon sens paysan, protestait contre ce qu'il y avait de factice et d'éphémère dans ces notoriétés tôt montées. Qui n'a pas eu de vertige à dix-huit ans?

Entre Michaël et Gaétane, les atomes crochus jouèrent. Pour Gaétane, qui arrivait du fond de son île et se sentait mal à l'aise dans la trop vaste cité où le hasard l'avait fait échouer comme une sirène sur le sable, Michaël représentait un être d'une autre race. Il était beau, élégant, soigné et, lorsqu'il parlait de sa famille, de son pays, il ouvrait à sa jeune auditrice, très vite passionnée, un monde mystérieux plein de séduction et de prodiges.

De son côté l'étudiant blond, insouciant, qui prenait la vie comme un gâteau qu'il faut dévorer à belles dents, fut attiré par cette fille brune aux yeux passionnés, taciturne ou prolixe, avide et mélancolique, pleine de contradictions, qui lui faisait l'effet tantôt d'un oiseau perdu et effarouché, parfois d'une sultane blessée à qui l'on refuse les privilèges auxquels elle a droit. Par ailleurs, dans ce milieu très particulier où les filles affectent un laisser-aller et un manque de coquetterie presque agressifs, Gaétane prenait grand souci de son aspect physique. Elle était aussi recherchée dans sa mise que le lui permettaient ses modestes ressources. Lorsque Michaël l'emmenait dans sa voiture de sport, il en était fier.

Pour Gaétane, cette rencontre avec Michaël à un moment où elle était prête à sombrer, à renoncer, fut une manière de miracle. Ils se retrouvaient tous les soirs, passaient ensemble leurs week-ends, s'attablaient au même snack-bar. Ils furent un de ces couples que les copains considèrent comme unis par on ne sait quelle tacite loi et qu'on voyait partout dans les endroits où l'on chante, où l'on s'agite, où l'on fait du bruit, où l'on applaudit l'idole du jour, l'idole des jeunes, bien sûr.

Ils essayèrent même de monter ensemble un numéro de duettistes. Gaétane, à ses moments de liberté, allait travailler dans le studio du garçon qui ne faisait plus à son école que de rarissimes apparitions. En même temps que leur association artistique, leur association sentimentale se fortifia. Un jour d'exaltation, Michaël promit :

— Dès que nous aurons réussi et que nous gagnerons de l'argent, nous nous marierons.

— Tes parents n'y consentiront pas, répondait Gaétane.

— Ne t'inquiète pas. J'en fais mon affaire.

Elle était bouleversée de le sentir si fort, si sûr de lui, si insouciant des contingences comme si le monde lui appartenait. Elle était fière d'être son amie et qu'on les considérât, parmi les groupes qu'ils fréquentaient, comme unis déjà.

Dans l'effervescence et l'espoir, ils présentèrent une émission qui n'eut pas de lendemain. Ce fut pour eux une lourde déception — une de plus pour Gaétane — la première pour Michaël, peu habitué aux échecs. De plus, il s'était endetté pour monter ce numéro. Dans le même temps, le père Montana s'émut du peu de succès qu'obtenait son fils aux examens et de l'argent qu'il dépensait. Il procéda à une enquête et apprit que le jeune étudiant avait complètement abandonné son cours. Il lui intima l'ordre de rentrer à Milan. Le jeune homme regimba. Alors son père lui coupa les vivres.

Sur le moment, Michaël fit front. Il avait trop goûté à la vie indépendante et fantaisiste pour obtempérer aux injonctions paternelles, d'autant qu'il était hors de son influence, loin des pressions familiales.

Ce fut une chaude alerte. Gaétane, qui avait craint, un moment, de voir partir son ami, se désespérait. La virile résolution de Michaël de résister à la tyrannie d'un père abusif, son désintéressement des contingences matérielles augmentèrent sa ferveur et exaltèrent son amour.

Tandis qu'elle continuait à présenter ses appareils ménagers, lui, se mit en quête d'une situation qui lui permît de pallier la carence familiale. Au début, cela l'amusa. Il disposait encore de quelque crédit auprès de camarades qui l'avaient connu fastueux, auprès des restaurants et des night-clubs qu'il fréquentait. Il se lança dans divers métiers, plus ou moins farfelus. Il cherchait l'argent facile, répugnant à briguer un emploi stable. Il courait les annonces proposées aux étudiants : il fut tour à tour chauffeur de taxi pour touristes étrangers, interprète dans une agence de voyage, steward sur les bateaux-mouches qui sillonnent la Seine. Il fut même mannequin chez un présentateur de mode masculine. Lorsqu'il eut vendu sa voiture, porté au Mont-de-Piété ses boutons de manchette, sa caméra et son magnétophone, il dut se diriger vers des solutions plus rémunératrices. C'est ainsi qu'il entra au cabinet Avancher. Son rôle consistait à se rendre au domicile des débiteurs retardataires et à obtenir le paiement des créances.

Cela eût pu marcher, provisoirement du moins, mais Michaël n'était pas habitué à se restreindre. Il continuait à jouer au tiercé, à

fréquenter les champs de course et à mener une
vie nocturne, peu en rapport avec ses revenus.

La première fois qu'il hasarda dans un pari les
sommes qu'il avait encaissées dans la matinée, il
eut de la chance et put remettre en place l'argent
prélevé indûment, sans que personne s'aperçoive
de la manœuvre. Cela l'incita à recommencer. Il
échafauda diverses combinaisons grâce auxquelles, durant un court laps de temps, il put
disposer des fonds qu'il eût dû rapporter au cabinet de son employeur. Il avait le doigt dans
l'engrenage, le bras entier y passa. De combinaison en combinaison, de perte en perte, de
falsification en falsification, il constata un tel
déficit dans la caisse qu'un jour il fut acculé.

Son chef direct découvrit les larcins. Ils
étaient si importants que l'indélicat collabora-
teur fut dans l'impossibilité absolue de rembourser les sommes détournées. Il eût pu travailler
des années gratuitement sans combler le trou
qu'il avait creusé dans les finances de son
employeur. Georges Avancher n'avait pas
d'autres recours contre le jeune étudiant que de
le faire arrêter.

Il avait préféré une autre solution, plus
rentable pour lui. Mais la nouvelle était tombée
sur Gaétane comme un coup de tonnerre. Elle
n'était au courant de rien. Elle ne savait pas
d'où Michaël tirait cet argent dépensé si facile-
ment. Elle avait accepté la fable d'une tante

indulgente qui envoyait de Sicile des mandats qui avaient remplacé la rente confortable servie par le père Montana au fils trop gâté.

L'idée que Michaël était un voleur la hérissa tout d'abord. Il n'eut aucune peine à lui démontrer qu'elle était à l'origine de ses malversations et à lui faire porter sa part de culpabilité.

« — C'est pour toi, pour ne pas te quitter, que j'en suis venu à ces actes, affirmait-il sur un ton pathétique. J'ai agi par amour et par inconscience.

Elle finit par l'excuser. Elle l'aimait comme on aime un enfant qui a fait une bêtise, avec le maximum d'indulgence. Mais lorsqu'elle l'accompagna à la gare de Lyon, le déchirement de cette séparation lui broya le cœur. Ensuite, ce fut la sourde solitude, les jours de longue attente, les nuits sans sommeil.

Michaël écrivait peu. Une de ses lettres plongea dans le désespoir l'amoureuse meurtrie et rongée d'inquiétude.

« — Si je n'arrive pas à rembourser Avancher — et je n'en vois pas le moyen, mes parents ne m'accordant que le strict minimum — je ne pourrai jamais rentrer en France. Je suis toujours sous la menace de cette arrestation, et on me coffrera dès que je mettrai le pied hors de la frontière. De plus, si Avancher exécute sa menace et communique à mon père le document qu'il m'a soutiré, je suis perdu. Mon père ne me

pardonnera jamais. Je serai pour toute la famille
et pour toujours un paria.

Sur ces entrefaites — et comme par un hasard
providentiel — Gaétane lut l'annonce par
laquelle le cabinet Avancher enrôlait des dactylos. C'est alors que lui vint l'idée folle de tenter
de récupérer le papier compromettant. C'était
une impulsive. De plus, elle avait un tempérament romanesque et aventureux. L'incongruité
du geste s'effaça devant l'excitation du danger
qu'elle courait et le désir de sauver Michaël.

« Comment ai-je pu tenter une telle chose?
songeait-elle, tandis que l'aiguille avançait au
cadran du tableau de bord et que se rapprochait
le moment des retrouvailles tant attendues.
J'étais folle. Ma solitude, la séparation me
montaient au cerveau comme une drogue. Une
drogue qui avait annihilé en elle toute conscience, toute raison, toute prudence. Qui m'a
donné l'audace d'accomplir une telle action?
Dire que je me suis faite cambrioleuse pour
aider Michaël! »

— Avez-vous soif?

Elle s'arracha avec peine à ses évocations. Elle
avait fini par oublier la vitesse à laquelle on
roulait et s'aperçut que le conducteur avait
ralenti quand une voix rude força brutalement la
méditation dans laquelle elle s'était abstraite.

— Quoi? dit-elle, machinale.

— Je vous demande si vous avez soif. Vous

pourrez boire pendant que je fais faire le plein d'essence.

Il stoppait devant un poste Shell. Un bar improvisé, en plein air, coiffé de matière plastique jaune, offrait des boissons.

— Merci, dit-elle sèchement. Je n'ai pas l'habitude de boire.

Tandis qu'on remplissait le réservoir de la voiture, il alla s'accouder au comptoir et se fit servir un coca-cola. Quand il revint, il tenait un sac de pastilles de menthe qu'il lança sur les genoux de Gaétane comme il eût jeté un ballon de football.

— C'est pour moi? s'enquit-elle, un peu surprise.

— Pour qui d'autre? Je ne suis pas amateur de sucreries.

— Merci, dit-elle ironiquement. On n'est pas plus galant.

Il ne répondit pas et son pied écrasa l'accélérateur. Le démarrage fut si brutal qu'elle fut projetée en arrière.

— Vous vous croyez malin? lui jeta-t-elle sur un ton irrité.

— Pourquoi?

— Vous conduisez comme un fou.

— Vous voulez arriver, non?

— Entière, autant que possible.

— On essaiera, émit-il avec un ricanement.

Pourquoi s'amusait-il à l'aiguillonner? Pour-

quoi y parvenait-il? Cet individu avait le privi-
lège de l'exaspérer.

Ils avaient traversé la plaine. On approchait
des faubourgs. Elle finit par fermer les yeux
pour ne pas voir les obstacles surgis sur leur
route à quelque tournant et qu'il évitait miracu-
leusement à l'ultime seconde.

Évidemment, il conduisait avec maîtrise, en
sportif. Ils croisèrent des charrettes de paysans,
des troupeaux de bêtes à cornes que les fermiers
poussaient devant eux avec leur bâton, les
bonnes femmes qui encombraient imprudem-
ment la chaussée, leur panier au bras et la
marmaille dans leurs jupes.

La circulation s'intensifia. Des camions passaient, traînant leurs lourdes remorques; d'autres,
chargés de tonneaux. Le conducteur ne ralen-
tissait pas pour autant. L'angoisse serrait la
gorge de la passagère. L'air sentait l'orage, les
fruits mûrs, une odeur méridionale, presque
espagnole. Certaines villes de Corse qu'elle
aimait, avaient cette odeur-là.

Enfin, on pénétra dans la célèbre cité rousil-
lonnaise. Mathieu paraissait fort bien connaître
le plan de la ville. Il l'arrêta à l'endroit qu'elle
lui avait désigné.

— Eh bien, je vous ai menée à bon port, dit-
il, narquois.

Il daignait descendre cette fois pour lui laisser
le passage du côté du trottoir.

Dans son blouson de cuir, il était carré, massif. Sous le hâle, on devinait la peau claire. Cet air de gitan qu'il affichait, il le devait surtout à son genre de vie. S'il n'avait été aussi intimement mêlé à la nature, au soleil, aux intempéries qu'il bravait dans une sorte de défi permanent, il eût pu être tout autre. C'était un curieux garçon. Mais une brute, en tout cas.

Mal remise de ses émotions, elle le considérait avec colère. Il semblait s'en amuser. Ses yeux sombres pesaient sur elle avec leur petite flamme ironique.

« Il l'a fait exprès, songea-t-elle. Exprès de rouler à cette vitesse. »

Elle échappa à son regard et fit voltiger le sien jusqu'au grand café où les consommateurs, vêtus de couleurs gaies comme on les voit dans le Midi, étaient attablés à la terrasse, ombragée de palmiers.

Il regarda sa montre.

— A quelle heure voulez-vous repartir? s'enquit-il benoîtement.

Le ressentiment agita la voix de Gaétane.

— Je ne rentrerai pas avec vous, ragea-t-elle, furieuse de ne pouvoir montrer autant de flegme que lui.

— Comme il vous plaira.

« Je vais déjeuner. Si vous changez d'idée, vous me trouverez à cinq heures au parking, de l'autre côté de la place. Je vous attendrai jusqu'à six heures.

— Inutile. Je rentrerai par mes propres moyens.

Si elle devait revenir ce même soir, ce qui n'était pas certain, tout dépendant des décisions que lui dicterait son entretien avec Michaël, elle préférait faire le trajet en autocar plutôt que d'affronter encore une épreuve de vitesse avec ce « dingue ».

Il s'inclina à peine et remonta dans la voiture. Il démarra en trombe sous l'œil admiratif de quelques badauds qui s'étaient déjà agglutinés sur le trottoir, devant la Mercedes.

« La voiture n'est même pas à lui, jugea Gaétane avec humeur. Et il joue les champions! »

Qu'il eût pu s'amuser de sa panique l'emplissait de rancune. Voilà deux fois qu'elle perdait la face devant lui : le jour de sa chute de cheval et aujourd'hui. Ce butor, qui n'avait peur de rien, devait la considérer comme une mauviette et mépriser sa faiblesse.

Peu lui importait. Elle avait Michaël. Son émoi, un instant distrait, se réveilla. Une bouffée chaude lui monta du cœur au cerveau. Elle regarda sa montre, il était près de deux heures. Elle n'avait pas le temps de déjeuner, à peine celui de prendre un café à la terrasse du

Palmarium. Elle s'y dirigea d'un pas vif. La joie dansait en elle comme une flamme.

Et une voix intérieure chantait :

« Seize heures trente! Café des Platanes. » Certes, elle y serait! Comme allait lui sembler long le temps qui restait à s'égrener avant le rendez-vous!

CHAPITRE X

Des cars de touristes étaient groupés le long de l'avenue. Vides et fermés, ils attendaient leur contingent de voyageurs. Ils venaient d'Italie ainsi qu'en témoignaient leurs plaques d'immatriculation. Sous les platanes, le café du même nom offrait sa terrasse égayée par les parasols de couleur qui tournoyaient parfois sous le vent capricieux du Canigou.

Gaétane était venue à pied de la place du Castillet. Son impatience la précédait, hâtait sa marche. L'émotion lui battait les tempes et le sourire était prêt à éclore sur ses lèvres tandis qu'elle cherchait Michaël parmi les nombreux consommateurs de ce chaud après-midi. Soudain, elle sursauta : elle venait de le repérer, installé près du guéridon où étaient attablés les chauffeurs du car. Elle se faufila dans les rangées de table. Il devait la guetter, car il se leva précipitamment et lui fit signe de le rejoindre à l'intérieur de l'établissement.

La salle était déserte, sombre et fraîche. La porte franchie, elle fut contre lui, mais il se dégagea avec douceur. Ce n'était pas l'endroit pour les effusions. La caissière aux cheveux « aile de corbeau » les lorgnait, par-dessus sa caisse enregistreuse.

— Asseyons-nous dans ce coin, nous serons tranquilles.

Il la conduisit par la main jusqu'à l'angle, près de la glace où l'on pouvait voir ce qui se passait dehors. Elle se poussa pour lui faire place. Déjà un garçon nonchalant, heureux d'échapper à son oisiveté forcée, venait prendre leur commande.

— Un café, demanda Gaétane, pressée de le voir s'éloigner.

Mais Michaël voulait un capuccini, et il dut expliquer au garçon ce que c'était. Il le faisait avec un certain air de supériorité et l'autre l'écoutait, déférent.

Quand il se fut éloigné avec un « Bien, monsieur » obséquieux, Michaël se tourna vers sa compagne.

— Enfin! prononça-t-elle d'une voix intime en se rapprochant un peu de lui comme pour sentir sa chaleur, j'ai cru que ce jour n'arriverait jamais. Que le temps m'a paru long!

Elle le regardait ardemment, ses yeux sombres accrochés aux yeux clairs pleins de rire et d'amusement. Puis, elle abaissa son regard pour le détailler, l'envelopper. Il portait un blazer marine cousu de « badges », ce qui lui donnait un air de collégien sportif. Son pantalon gris était impeccable. Il avait cet aspect soigné qui lui avait tant plu. Et toujours cette expression câline sur le visage et ses mains fines. La douceur de ses traits était peut-être un peu efféminée, ses manières un peu trop recherchées?

Elle repoussa cette dernière impression qui passait en elle fugitivement et qui mettait une ombre sur son admiration. Il était là, tel qu'elle l'avait espéré pendant tant de jours.

— Comment es-tu venu, Michaël?

— Le plus simplement du monde. J'ai pris la place d'un copain qui avait été engagé comme interprète sur le car et qui a été empêché au dernier moment. Un coup de chance, comme tu vois. Comment vas-tu, chérie?

— Merveilleusement puisque tu es là.

— Pas pour longtemps. Nous partons à cinq heures et je dois accueillir et compter mes bonnes femmes à moins le quart.

Fantaisiste Michaël! Il trouvait toujours des choses extraordinaires.

— C'est amusant, tu sais, de voyager ainsi. Je me fais le guide de ces dames.

— Il n'y a que des femmes?

Il eut un geste négligent.

— Quelques hommes. Mais d'âge canonique. Aucun rival possible.

Son rire sonna, orgueilleux. Sa jeunesse le parait comme une brillante armure.

— Et, naturellement, tu leur fais la cour?

— Bien sûr. Aux plus jeunes, quand elles sont jolies.

— Est-ce qu'il y en a beaucoup de jolies?

— Oh! tu sais, les touristes! Dans la journée, elles ont toujours cet air un peu effaré des gens qui baguenaudent et elles manquent d'élégance. Les voyages déforment les vêtements, comme chacun sait. Mais le soir, elles s'habillent, et là...

Il prit un air avantageux.

— Je suis champion.

Elle lui adressa une moue tendre.

— Don Juan, va!

— Au fait, dit-il, tandis que le rire s'effaçait de ses yeux insouciants, j'ai une nouvelle à t'apprendre.

— Oui? dit-elle en fronçant légèrement les sourcils.

— Tu vas pouvoir lâcher ton boulot.

— Mon boulot?

L'expression gavroche la désorientait.

— Ah! Tu veux dire mes fonctions à la Tourillère?

— Oui. Qu'est-ce que c'est, au juste, que ces fonctions?

— Mais je te l'ai écrit! Je tiens compagnie à un garçon infirme. Je le distrais. Je t'ai bien raconté, ajouta-t-elle impatientée, le singulier marché que m'a imposé Avancher.

— Oui, dit-il avec un geste nonchalant, comme s'il s'agissait d'une chose toute naturelle, ce qui ne laissa pas de la choquer un peu car, enfin, elle avait pris des risques pour lui.

Il continuait :

— Tu n'as plus à te tourmenter pour Avancher. Je lui ai coupé les griffes.

— Quoi?

Elle l'examinait, incompréhensive, cherchant à déchiffrer ce qu'il cachait derrière son sourire faraud.

— Je l'ai désintéressé, ma chère, dit-il cérémonieusement.

— Tu as pu le rembourser? Mais tu m'avais écrit...

— Que je n'avais pas le rond. C'était exact. C'est encore un tout petit peu exact, si tu veux tout savoir. J'avoue qu'au départ j'ai été paniqué. J'avais peur que ce sombre brigand, si je ne bougeais pas, vienne raconter l'histoire toute chaude à mon père et cela aurait fait du vilain.

— Mais je t'avais expliqué que tu n'avais rien à craindre. J'avais fait un pacte avec lui.

— Ton histoire rocambolesque me semblait plutôt dure à croire et je n'étais pas tranquille.

— C'était bien la peine, exhala-t-elle vexée.

— Ne te fâche pas puisque tout s'est arrangé.

Voilà. Je me suis confié à un de mes oncles, un homme bien et qui comprend la vie et les jeunes. Il est avocat à Milan. Il a accepté de parler à mon père de ce remboursement. Bien sûr, il ne lui a pas dit l'exacte vérité. Il lui a parlé seulement de dettes de jeu, de dettes d'honneur. Mon père marche à tous les coups quand il s'agit de l'honneur familial. (Il enflait la voix pour mimer la grandiloquence paternelle). Bref, le père Montana a donné les fonds. Justement mon oncle devait se rendre à Paris. Il a vu Avancher, l'a remboursé et a récupéré le papier que j'avais eu la bêtise de signer.

Il frappa ses mains l'une contre l'autre avec jubilation.

— Maintenant, l'affreux Avancher ne possède plus aucune preuve. Il n'a plus rien contre moi et peut aller se faire pendre. Au diable!

Il éclata d'un rire triomphant où entrait une certaine vanité. La satisfaction d'être venu à bout d'une situation épineuse.

Gaétane était sidérée. Ainsi, toute cette folle équipée, ces manœuvres dangereuses auxquelles elle s'était livrée pour récupérer le document compromettant — compromettant pour Michaël — cette extravagante mission qu'elle avait acceptée à la Tourillère, tout cela n'avait servi à rien? C'était du vent?

La gaieté entraînante de Michaël la tira de sa stupeur.

— Eh bien, es-tu contente, chérie? Que penses-tu de cela?

Il en parlait comme d'un exploit. Il avait totalement oublié les actes inconsidérés qui l'avaient mis dans ce pétrin.

— Ton père a été très généreux, murmura-t-elle, décontenancée, ne sachant d'où lui venait ce sourd malaise qui assombrissait sa joie.

— Oui. Mais il y a mis des conditions. Il a exigé que je renonce à ma vie d'étudiant, à mes idées farfelues, à la musique, à la chanson, même aux Arts décoratifs, qui, a-t-il décidé, ne m'amèneront à rien de valable. Il veut que je rentre dans la chaussure.

— Dans quoi? fit-elle, éberluée.

— Tu sais bien que mon père a une usine de chaussures? Il a des succursales un peu partout dans la région milanaise.

— Nous n'avions jamais parlé de ce sujet, exprima-t-elle, en évoquant la vie fiévreuse et décousue qu'ils avaient menée dans la capitale.

— Eh bien, ma chère Gaétane, je termine en ce moment mes vacances de garçon libre. Finie la *dolce vita!* Je rentre à l'usine. Par la petite porte. Il faut que je fasse des stages dans les divers services avant d'obtenir un poste intéressant.

— Ainsi, tu as renoncé à toutes tes ambitions, à tous tes rêves?

Il la considéra avec une pitié amusée.

— Mais mon chou, c'est ça, la vie! On fait des rêves idiots, on veut décrocher la lune et on se retrouve, un beau jour, chef de service dans une manufacture de chaussures, en attendant de devenir patron. Entre nous, c'est une perspective qui en vaut une autre.

— Cela dépend sur quel plan on se place, jugea-t-elle, rêveuse.

Il se pencha vers elle pour une confidence et lui mordilla le bout de l'oreille.

— C'était le seul moyen, de pouvoir remplacer la voiture que j'ai dû vendre. J'en étais malade de regrets.

— Et moi, qu'est-ce que je deviens dans tout ça?

— Toi? Mais tu suis, mon petit. Tu suis le train... Tu es « attachée à ma fortune », bouffonna-t-il.

Ce ton léger alors qu'il s'agissait de leur vie à tous les deux, à ce qui la touchait au vif, la blessa.

— Tu crois que ton père acceptera que tu m'épouses? interrogea-t-elle abruptement.

Le rire s'effaça du charmant visage insoucieux.

— Hé, pas si vite! Mais nous les aurons, les parents. D'abord, tu viens à Milan. Je t'ai trouvé une place dans une famille pour t'occuper de jeunes enfants. Tu t'occupes d'un infirme,

tu pourras bien t'occuper d'enfants, momentanément?

Il la dévisageait d'un air anxieux.

— Pourquoi pas? dit-elle mollement.

— Bravo!

— Mais je ne sais pas l'italien.

— Justement, ils veulent une nurse qui parle
français. Et pour toi, c'est le moyen le plus
rapide d'apprendre la langue. Tu sais qu'on
n'apprend vite une langue qu'en la pratiquant
dans le pays même. Vu?

Elle inclina la tête. Il l'étourdissait avec sa
faconde.

— J'ai parlé de toi comme d'une édudiante
obligée de gagner sa vie et qui avait des notions
de puériculture.

— Je n'ai jamais fait de puériculture.

— Tu as eu des sœurs. Tu m'en as parlé.

— Non, des frères, rectifia-t-elle, avec reproche.
Tu as donc tout oublié de moi?

— Des frères, des sœurs! Nous n'allons pas
nous chamailler. C'est la même chose. Et puis
toutes les femmes savent soigner les enfants.
Cette place, pour toi, c'est l'occasion de nous
rejoindre rapidement. On t'attend. Ces gens sont
enchantés de t'engager. Ils te traiteront avec
égards et te laisseront le maximum de liberté. Tu
pourras te perfectionner, apprendre les usages
du monde. Car tu es encore une petite sauva-
geonne, ma Corse aux yeux farouches. Tu as

besoin de te policer avant de devenir Mme Michaël Montana, acheva-t-il avec emphase.

— Oh! Michaël, tu veux vraiment m'épouser?

— Mais bien sûr, bien sûr! dit-il avec impatience. En attendant, on ne se quitte plus. Il y a une place libre dans le car. Je t'enlève tout de suite. Tu continues le circuit avec nous et, dans deux jours, nous sommes à Milan. N'est-ce pas merveilleux?

Là, elle le reconnaissait. Son entrain, sa façon de brûler les étapes.

— Et tes passagères?

— Je les délaisserai pour toi. Pauvres passagères!

Il fit mine d'essuyer une larme absente. Elle sourit malgré elle.

— Tu es toujours aussi fou. Comment veux-tu que je parte avec toi? Sans bagages. Sans avoir pris congé de mes hôtes. C'est impossible, Michaël.

— Eh bien, puisque vous refusez, ma chère, je vous rends votre liberté.

Son ton changea, se fit pressant :

— Va chercher tes affaires. Liquide ta situation et câble-moi à Milan. J'irai t'accueillir et t'emmènerai dans ta place.

Elle planta son regard dans les yeux bleus rieurs où passaient tant d'expressions fugaces.

— T'es-tu seulement demandé si j'avais de quoi payer mon voyage ?

— Ne me dis pas que tu as accepté de te morfondre dans ce trou de montagne avec un infirme sans demander des émoluments en conséquence ? C'est aberrant.

Sa résistance le mettait visiblement de mauvaise humeur.

— Tu sais bien que c'est pour toi que j'avais accepté cette mission insolite, remarqua-t-elle doucement.

Il eut une moue confuse.

— Oui, c'est vrai. Encore un coup de cet hurluberlu d'Avancher.

Il mordilla sa lèvre, sembla peser des arguments dans son esprit, puis décréta :

— Alors, rendez-vous à Milan ?

Elle répéta, docile :

— Rendez-vous à Milan.

Il l'embrassa sur le bout du nez.

— Il est temps que je me sauve. Au revoir, mon chou. C'est l'heure d'aller rassembler mes brebis. Au fait, qu'est-ce que tu penses du berger ?

Elle le regarda plastronner, maniant dans le vide une invisible houlette.

— Tu fais très « berger Pâris », concéda-t-elle avec un sourire un peu contraint.

— C'est à toi que je donnerai la palme,

rétorqua-t-il, magnanime, tandis qu'elle se levait à son tour pour accompagner sa retraite.

Debout, elle était presque aussi grande que lui. Mais il était si fin et si racé qu'on oubliait sa taille.

Il jeta un coup d'œil circonspect autour de lui pour s'assurer qu'il n'y avait pas de témoin à leur au-revoir intime et l'embrassa sur les lèvres. Doucement, gentiment, avec un plaisir visible, comme s'il eût mordu dans un gâteau savoureux.

Elle aurait voulu prolonger l'étreinte, le garder encore contre elle, leurs deux corps rapprochés, respirer ce parfum qu'elle reconnaissait, celui de la lotion qu'il employait après le rasage. Mais, déjà, il se glissait dehors, traversait la terrasse où les consommateurs abandonnaient leurs guéridons, remplacés par d'autres clients.

Quand elle sortit sur l'avenue, elle le vit près des cars, entouré d'un groupe de femmes qui caquetaient autour de lui. Il souriait, s'inclinait, baisait des mains, pas du tout « guide de touristes », mais bien plus homme du monde, comme un jeune capitaine qui reçoit à bord de son yacht.

Il n'avait pas pensé à se retourner pour lui adresser un dernier adieu.

CHAPITRE XI

Gaétane cheminait, pensive, sans bien savoir où elle allait. Elle avait une heure à perdre avant le départ de l'autocar. Cette entrevue avec Michaël la laissait désorientée. Elle croyait savoir d'où lui venait ce désenchantement. Elle avait jugé faire un acte héroïque en risquant cette absurde tentative qui l'avait menée jusqu'à sa situation présente et elle venait d'apprendre de la bouche de Michaël que tout cela était en pure perte. Il n'avait eu nul besoin de son intervention. Il avait suffi que son père signât un chèque, qu'un parent influent fit une démarche auprès d'Avancher et il ne restait plus rien de son acte malhonnête et de ce qu'elle avait considéré comme une catastrophe dans la vie de Michaël, dans leur vie à tous deux.

« J'ai joué un rôle ridicule. J'ai agi comme une enfant. Et j'ai perdu la face. »

Blessure cuisante pour son amour-propre. Ce sentiment d'humiliation la laissait insatisfaite alors qu'elle aurait dû exulter à l'idée que leurs mésaventures étaient terminées.

Tandis qu'elle marchait sous les platanes, elle essaya de se concentrer sur cette réalité. Le temps de la longue absence arrivait à son terme. Bien sûr il y avait quelque réticence dans le bonheur qu'elle eût dû éprouver. Elle appréhendait un peu ce pays étranger dont elle ne connaissait ni la langue, ni les mœurs, ni personne d'autre que Michaël. Mais elle avait accepté d'aller y vivre dans l'espoir qu'ils seraient bientôt l'un à l'autre pour toujours. Ils s'aimaient. Est-ce que l'amour ne se rit pas des obstacles?

« Et cela suffit », conclut-elle résolument en écartant de son esprit ces voix pusillanimes et insidieuses qui essayaient de glisser la panique dans son cœur.

Résolue à changer le cours de ses pensées, elle se mit à réfléchir aux raisons qu'elle allait donner à David pour lui expliquer son départ si brusque et sans retour. C'était là une obligation qui lui pesait d'avance. Peut-être chargerait-elle Mme Doréac de transmettre ses adieux? Elle était prise d'un frisson à l'évocation du regard lourd et désabusé de David quand elle lui annoncerait la nouvelle. Quelle triste et pénible corvée!

Ce souci l'accompagna tandis qu'elle poursuivait sa route pour se rendre à l'arrêt des cars.

Elle se trompa, revint sur ses pas à plusieurs reprises et finalement se trouva, comme par hasard, sur la place où se tenait le parking qu'avait mentionné Mathieu.

Juste comme elle y parvenait, elle l'aperçut qui dégageait la Mercedes de la contre-allée. Il la vit et stoppa tout près d'elle.

— Alors, vous montez?

Elle se sentit lasse tout à coup et la perspective d'errer durant une heure dans les rues de la ville la rebuta.

— Si vous voulez.

Il se pencha et lui ouvrit la portière. Sur la banquette, elle retrouva les bonbons à la menthe qu'il lui avait achetés le matin. Sans mot dire, elle prit le sac et le posa sur ses genoux.

— Vous avez fini ce que vous aviez à faire à Perpignan? s'informa-t-il.

— Oui.

Ce laconisme ne parut pas l'impressionner. Il était aussi peu bavard qu'elle. Il gagna l'avenue, se faufila dans la cohue des véhicules et prit une rue inconnue, assez étroite.

— Vous n'avez pas vu la plaque indicatrice indiquant la route de Prades? s'étonna-t-elle, persuadée qu'il se trompait.

— Oui, mais j'ai une course à faire dans cette rue.

Il manœuvra habilement pour s'insérer entre

deux voitures parquées contre le trottoir et descendit :

— Veuillez m'excuser. Je vais prendre des livres à la bibliothèque. J'espère que le bureau de location ne sera pas fermé. J'en ai pour quelques minutes.

Il disparut dans un immeuble dont la devanture de magasin ressemblait à une librairie. Quand il revint, il rapportait un livre et un magazine. Puis, il rejoignit la voie principale et se dirigea vers la route qui, par la vallée de la Têt, monte vers Prades, le long des vergers plantés d'abricotiers et de pommiers.

Machinalement, Gaétane feuilletait la revue agricole qu'il avait déposée entre eux; elle jeta un coup d'œil sur le livre. C'était « le Vieil Homme et la Mer » d'Hemingway et « la Vallée enchantée », de Jacques Legray.

— Vous avez loué des bouquins pour David?

Il lui jeta un regard de côté.

— Pour David? Ne me croyez-vous pas capable de comprendre Hemingway?

— Heu... Pourquoi pas?

Elle n'arriva pas à donner un ton sincère à sa réponse. Pour se donner une contenance, elle feuilleta l'autre volume.

— Vous aimez le genre romanesque?

— J'aime le genre idéaliste. Cela vous étonne?

— Un peu.

— Naturellement, je suis à vos yeux une manière d'homme préhistorique.

— Il faut avouer que vous vous conduisez souvent comme un être peu civilisé.

— Sans doute me prenez-vous pour un analphabète?

— Pas tout à fait.

Il eut un sourire furtif, mais ne releva pas le propos.

— Vous êtes vexé?

— Pas du tout. Je n'ai pas de complexes.

Ce garçon était plein de contradictions.

Elle songea avec quel soin et quelle sollicitude il portait David dans ses bras, aux précautions qu'il prenait quand il le couchait ou l'asseyait dans son fauteuil roulant. Pour son frère, ses gestes brusques se ouataient de douceur. Cela n'avait pas été sans l'étonner et elle avait beau avoir des griefs et de l'antipathie pour Mathieu, à cause de sa rudesse naturelle, de ses manières brusques, elle se devait de reconnaître objectivement qu'il montrait à l'endroit de David un dévouement certain.

L'écho de leurs paroles se perdait dans le vent du soir. Sans lâcher le volant ni diminuer sa vitesse, il alluma une cigarette. Il conduisait comme s'il avait besoin de se défouler. Tout à coup un chauffard imprudent déboucha d'une route vicinale. Mathieu freina à mort si bien que sa passagère fut projetée contre le pare-brise.

Elle poussa un cri tandis que son compagnon proférait à l'adresse du chauffeur imprudent toute une gamme de mots malsonnants.

Il se retourna vers Gaétane :

— Vous êtes blessée?

Elle pressait son mouchoir contre son front meurtri.

— Ce n'est rien.

Sa voix était rêche et hostile. Il n'insista pas, mais appuya sur elle ce regard lourd et insistant qui la gênait. Il était si proche qu'elle en sentait comme physiquement le poids.

Lorsqu'elle retira son mouchoir, elle constata qu'il était maculé de sang. La meurtrissure de son front devenait cuisante.

— Passerons-nous devant une pharmacie? s'informa-t-elle.

— Il n'y en a pas avant plusieurs kilomètres.

— C'est gai! dit-elle avec mauvaise humeur.

Il constata sans sourire :

— Vous n'avez pas de chance avec moi. Quand ce n'est pas mon cheval qui vous démet l'épaule, c'est moi qui manque de vous fracturer le crâne. Vous m'en voyez désolé.

Pourquoi employait-il toujours avec elle ce ton persifleur?

Elle retint les propos agressifs qui lui venaient à l'esprit, se contentant de penser avec rancune qu'il n'était pas surprenant qu'avec ses façons brutales il lui arrivât des accidents. La malchance était que, par deux fois, elle en était la victime.

Elle ouvrit son sac pour y prendre une glace; l'endroit de son front qui avait heurté le pare-brise était tout sanguinolent.

— Est-ce sérieux? s'enquit-il sans se tourner vers elle.

— Je n'en sais rien, maugréa-t-elle, mais ce n'est pas beau.

Elle ne pouvait s'empêcher d'exprimer son dépit.

Il ralentit et arrêta son véhicule au bord de la route.

— Ouvrez la boîte à gants. J'y ai une pharmacie de secours.

— Ouvrez-la vous-même. Je ne veux pas fouiller dans vos affaires.

Il haussa les épaules, fit jouer le déclic qui commandait le casier.

— On ne peut pas dire que vous soyez coopérative, même lorsqu'il s'agit de vous rendre service.

Il sortit une boîte métallique et l'ouvrit : elle contenait du coton, des bandes et un minuscule flacon qu'il passa à Gaétane.

— Mouillez le coton avec le contenu du flacon et tamponnez la blessure. Ce sera plus efficace que votre mouchoir sale.

— Dites donc! se hérissa-t-elle, mon mouchoir est propre.

— S'il est de la couleur de vos mains, je le crois plutôt douteux. Je crains son contact avec votre blessure.

Elle regarda ses paumes et s'aperçut avec horreur qu'elles étaient toutes maculées. La table du café où elle avait bu son café en compagnie de Michaël ne devait pas être très propre. Elle rougit de confusion.

Elle n'osait pas toucher le coton et resta un instant immobile, ne sachant que faire de ces objets qu'il lui avait abandonnés.

— Vous avez l'air d'une poule qui a trouvé un couteau, remarqua-t-il.

— Ce que vous pouvez être vulgaire.

— Je n'ai rien d'un aristocrate, je vous l'accorde. Je suis un paysan.

— Un paysan grossier, appuya-t-elle avec hargne.

— Exactement. Mais ma grossièreté ira jusqu'à vous empêcher de tacher les coussins de la voiture.

Il prit un tampon de coton sur lequel il fit couler l'arnica et le lui appuya vivement sur le front.

— Oh! brute!

— D'accord. N'ouvrez pas les paupières si vous ne voulez pas recevoir de liquide dans l'œil. Ce serait dommage. Et rejetez la tête en arrière.

Il parlait sur un ton impérieux. Elle obéit. La sensation de brûlure lui arracha un gémissement. Malgré les efforts qu'elle faisait pour le repousser, il maintint le tampon contre la blessure. La douleur cuisante s'atténua. Elle poussa un soupir.

— Cela va mieux.

Il examina la coupure. Elle sentait son souffle sur son visage.

— L'écorchure ne saigne plus, constata-t-il.

— Mais j'aurai une bosse! Une bosse au milieu du front.

— Vous n'aurez qu'à la cacher avec une frange de cheveux.

— Vous en parlez à votre aise.

Elle dégagea sa tête des mains masculines qui l'enserraient et s'examina dans son miroir de poche.

— Je suis belle, hein? maugréa-t-elle avec humeur.

Elle avait relevé le front vers lui.

— Oui.

— Quoi?

— Vous êtes belle. Ce n'est pas une nouveauté pour vous, non?

Elle fut frappée par ce compliment. Aussi peu aimable qu'eût été le ton qui l'accompagnait, c'était le premier qu'il lui adressait. Elle resta les sourcils hauts, la bouche entrouverte. Leurs yeux s'accrochèrent. Comme dans un autre miroir, Gaétane vit son reflet au fond des prunelles qui la fixaient. Dans les siennes, une lueur vacilla. C'était comme si une force invisible la tenait accrochée à ce regard, l'empêchait de baisser les paupières sur son trouble intérieur.

Brusquement, Mathieu se pencha et ses lèvres insolentes se posèrent sur les lèvres de Gaétane. Elle fut parcourue par un frémissement et demeura figée, une fraction de seconde, tandis que les mains de Mathieu entouraient ses épaules. Alors elle s'arracha violemment à cette étreinte possessive, l'éloignant de ses paumes raidies avec tant de violence qu'elle sentit se réveiller une fulgurante douleur à son bras mal guéri.

— Brute! Sauvage! Lâchez-moi!

Mais il l'avait agrippée de nouveau, solidement, et il riait tandis qu'elle faisait des efforts convulsifs pour éloigner son visage de cette face où brillaient les dents blanches, dans le visage basané.

— Allez-vous me lâcher? Si mon fiancé était là...

Il la laissa brusquement aller et elle heurta de son dos le dossier du siège. Alors, obéissant à une véritable panique, elle se précipita au-dehors, puis se mit à courir follement sur le chemin désert.

— Hé! Où allez-vous?

A son tour, il avait sauté à terre. Il se lança à sa poursuite.

Elle fuyait droit devant elle, sans se retourner,

sans entendre ses objurgations, la respiration saccadée, trébuchant sur les pierres, avec de sourds gémissements. Elle était en proie à un véritable délire.

Quand il la saisit aux épaules, elle eut un long cri d'effroi, plein de terreur et d'affolement. Il gronda :

— Mais finissez de hurler!

Puis, sur un ton suppliant :

— Je vous en prie, cessez de me considérer comme un satyre. Je vous jure que vous n'avez rien à craindre de moi.

Il haletait. Ses boucles noires lui tombaient sur le front. Il prononçait des phrases rapides et entrecoupées tout en la maintenant sur place, rien que par la force de ses mains posées sur ses épaules fragiles.

— Je vous fais mes excuses. Je me suis trompé. J'ai agi comme un idiot et un malotru. Je fais amende honorable. Mais, je vous en prie, écoutez-moi.

Elle ne l'avait jamais entendu s'exprimer avec cette voix fiévreuse et qui voulait être persuasive. Elle se tut, cessa de trembler.

— Lâchez-moi! intima-t-elle, essayant de maîtriser son souffle désordonné.

Il ôta ses mains de ce corps frémissant, continuant à la regarder sans baisser les cils, mais avec une expression nouvelle dans ses yeux sombres, mélange de surprise, de méfiance et d'une sorte de confusion.

Quand elle eut retrouvé assez de possession d'elle-même pour parler avec netteté, elle demanda, le toisant avec une colère méprisante :

— Qu'est-ce qui vous a pris ? Vous êtes fou ?

— Je ne savais pas que vous étiez fiancée à mon frère.

— Et qu'est-ce que cela change ?

— Tout.

Elle frictionnait son poignet endolori. Il se tenait près d'elle, la tête un peu penchée et son ombre traçait une gigantesque silhouette à ses pieds.

— Rien ne justifie votre inqualifiable attitude, dit-elle durement. Vous venez de vous conduire odieusement.

— Je partage cet avis.

Il n'y avait aucune équivoque dans sa réponse. Mais il ne parvenait pas à avoir l'air humble, même lorsqu'il s'excusait avec la plus évidente conviction.

Elle eut la perception soudaine qu'elle n'avait rien à craindre de lui. Pourtant, il n'avait pas perdu sa fierté et son air n'était pas celui d'un bellâtre repoussé ; mais son comportement avait changé. Ce n'était plus l'homme des bois.

D'une voix mesurée et déférente, il la pria de reprendre place à bord de la voiture.

Et comme elle se taisait, têtue, figée dans son attitude défensive, il insista :

— Faites-moi cette grâce. Je vous le demande instamment.

Il ajouta :

— Je m'en veux de ma méprise. Pardonnez-moi.

Confondue de surprise, elle n'en croyait pas ses oreilles. Le fait qu'elle portât ce titre de « fiancée » avait-il donc tant d'importance à ses yeux? Il semblait croire qu'il s'agissait de David. Elle ne rectifia pas et le laissa dans son erreur. Elle ne voulait pas lui parler de Michaël puisque l'ombre de David suffisait à la protéger.

Elle garda son accent irrité pour concéder :

— Soit. Je consens à revenir avec vous. J'y suis bien obligée puisque je n'ai pas d'autre moyen de rentrer à la Tourillère. Mais ne refaites jamais cela! ajouta-t-elle, menaçante.

— Vous n'avez plus rien à craindre.

Sans rien prononcer d'autre, il l'escorta jusqu'à la voiture. Elle boitillait un peu, car elle avait heurté sa cheville en courant. Il esquissa un geste pour lui offrir le bras, mais elle appliqua résolument le sien contre sa hanche, refusant son aide avec dédain.

Pelotonnée dans son coin, elle profita de sa victoire pour obtenir une concession :

— Et tâchez de ne pas rouler si vite.

— D'accord.

Effectivement, il prit une allure plus modérée. Le compteur oscillait autour de quatre-vingt-dix, ce que justifiait la route aux multiples virages. Ils traversèrent les rues de Prades que bordent des trottoirs et des caniveaux de marbre rose. Le soleil allait bientôt sombrer derrière le Canigou et il ferait nuit avant qu'ils soient parvenus à leur but.

Entre eux le silence se prolongeait. Gaétane le sentait passer sur elle, lourd, embarrassant, plus pesant à mesure que coulaient les minutes. Pour se donner une contenance, elle avait déplié l'enveloppe d'une pastille de menthe prise dans le sac qu'il lui avait offert. Elle l'avait mastiquée longuement.

La première, elle rompit ce mutisme exaspérant.

— Vous avez une cigarette?

Cela fut dit sur un ton rogue.

Sans un mot, il tira de sa poche un paquet de « gitanes ».

— Je regrette. Je n'ai pas de « blondes ».

— Cela ne fait rien.

Il lui tendit son briquet.

— Voulez-vous que je vous en allume une? offrit-elle, magnanime.

— Merci, refusa-t-il.

Il ne semblait pas disposé à parler. Mais cela ne faisait pas l'affaire de Gaétane. Certaines des

phrases prononcées par Mathieu avaient laissé
leur écho dans son esprit. Elle était intriguée.

Affectant la désinvolture, elle relança le
débat :

— Au fait, pourquoi avez-vous dit tout à
l'heure que vous vous étiez trompé sur mon
compte? Ce sont bien là vos paroles, n'est-ce
pas? Et vous les employiez comme une excuse
en quelque sorte. Pourquoi?

Il ne répondit pas. Son regard restait fixé sur
la route où les derniers reflets du soleil mettaient
des zones de clarté.

— Je vous ai posé une question, remarqua-
t-elle.

— Je préférerais ne pas vous répondre.

Elle ne voyait de lui que son profil obstiné.

— J'ai droit à une réponse.

— Mettons que j'ai commis une grossière
erreur.

— Vous l'avez déjà dit. Mais laquelle?

Il se tourna rapidement vers elle :

— Vous voulez absolument le savoir?

Il n'y avait pas d'embarras sur son visage, ni
de contrainte.

— Naturellement.

— Je vous avertis que je n'ai pas l'habitude
de déguiser mes mots ni de les édulcorer. Ce que
j'ai à dire risque de vous être désagréable. Après
ce qui vient de se passer, j'aimerais mieux
l'éviter.

— C'est moi qui vous demande de vous expliquer.

— Soit. J'ai cru à une invite, dit-il très net.

De saisissement, elle fronça les sourcils.

— A quoi?

— A une invite de flirt.

— Non? dit-elle, abasourdie. Que, moi, je...

— Oui. Oh! je sais bien. Pour vous, je suis un bouvier qui n'a d'autres préoccupations que ses bœufs et ses chevaux. Eh bien, pour moi, vous étiez une fille sans beaucoup de moralité qui avait accepté de venir dans cette maison, sur la foi d'une annonce alléchante, afin d'essayer de tirer le maximum d'avantages matériels d'une situation insolite. Je suis peut-être un paysan grossier, comme vous l'affirmez, mais je suis un homme. Vous êtes une fille belle et attirante. Tout à l'heure, nous étions proches l'un de l'autre. J'ai eu brusquement envie de vous embrasser. J'ai pensé que, pour vous, un baiser n'avait pas beaucoup d'importance. Voilà!

— Eh bien, c'est du toupet!

Elle en perdait le souffle

— Je vous ai dit que vous vous sentiriez offensée, remarqua-t-il avec flegme.

Sidérée et un peu troublée, elle remuait en elle cette déclaration si évidemment sincère et qui la plongeait dans une sorte de malaise.

Les arbres défilaient le long de la route. L'air montagnard se faisait plus vif. Sans s'en rendre compte, Mathieu avait accéléré, mais il dut se souvenir tout à coup des recommandations qu'elle lui avait faites et il modéra son allure.

Elle poursuivit, dès qu'elle fut capable de maîtriser son trouble :

— Qu'est-ce qui vous a fait penser que vous vous étiez trompé sur mon compte, que je n'étais pas tout à fait conforme au modèle de fille, amorale et facile, que vous m'appliquiez?

— Votre réaction.

— Je ne comprends pas.

— Si vous aviez été conforme à l'idée que je me faisais de vous, vous ne vous seriez pas défendue avec cette violence. Vous n'auriez pas eu ce sursaut. Ce titre de « fiancée » n'aurait pas représenté pour vous le caractère sacré qui vous a fait me le jeter à la face comme une armure de protection. J'avoue que je ne m'attendais pas à cela.

— Parce que vous étiez persuadé, dit-elle, narquoise et méprisante, que j'avais pour vous tellement d'attirance et d'admiration que je devais recevoir cette marque d'intérêt avec gratitude? Vous êtes plutôt prétentieux.

Il ne répondit pas. Il avait donné les éclaircissements qu'elle demandait. Il semblait ne pas vouloir aller plus avant. Ce mutisme agaça Gaétane. Maintenant qu'elle avait le beau rôle et qu'elle avait réussi à désarçonner ce garçon dont l'indifférence l'avait piquée au vif, elle eût voulu lui rendre la monnaie de sa pièce et utiliser contre lui ses propres banderilles. Mais il ne se prêtait pas au jeu.

La curiosité de Gaétane était éveillée. Elle n'aurait plus jamais l'occasion de percer à jour cet étrange personnage. A présent, il l'intriguait au plus haut point.

Elle émit, comme si elle attachait peu d'importance à sa question :

— En définitive, comment me jugez-vous?

— Mon opinion ne peut vous intéresser, rétorqua-t-il sans la regarder, en employant ce ton nouveau qui avait perdu son agressivité.

Gaétane tira quelques bouffées de sa cigarette.

— Elle m'intéresse pour rétablir la vérité. J'aime les situations nettes.

Comme il tardait à parler, elle s'humanisa :

— Puisque vous avez fait votre *mea culpa* et que vous avez bien voulu reconnaître votre erreur sur mon personnage, nous pouvons peut-être discuter sans acrimonie.

— Après l'incident de tout à l'heure, j'estime n'avoir rien à vous refuser. Soit, discutons. Mais il m'est bien difficile de vous juger. Je n'ai pas tous les éléments.

— Expliquez-vous.

— La façon dont vous vous êtes introduite dans la maison de mon frère ne plaide pas en votre faveur. Convenez-en. Je ne suppose pas que ce soit dans un but philanthropique, pour vous dévouer gratuitement à un malheureux infirme.

— Disons que j'avais eu des difficultés et que j'ai accepté cette situation, n'en ayant pas d'autre dans l'immédiat. Cela valait autant que de me faire engager comme gouvernante chez une vieille dame acariâtre.

— Vous êtes donc venue dans l'espoir de séduire David et de troquer votre jeunesse et votre charme contre son argent?

Il prit son silence pour un acquiescement et continua :

— L'aspect de mon frère ne vous a pas rebutée? L'argent vous tient-il donc lieu de tout?

Sa voix s'était durcie. Elle ne protesta pas. Ses accusations soulignaient trop ce qu'elle ressentait elle-même, au fond de son subconscient, et ce dégoût qu'elle avait éprouvé parfois pour le rôle qu'elle avait accepté de jouer.

S'il la jugeait ainsi, il n'était pas surprenant qu'il la méprisât.

Il lui jeta un regard ambigu :

— Vous ne voulez pas répondre?

— Cela me concerne, dit-elle.

— D'accord. Mais je vous prierai de remarquer que si j'ai dit nettement ce que je pensais, c'est que vous l'avez exigé. Je ne désire pas vous blesser davantage.

— Évidemment, dit-elle, amère. Les conclusions que vous avez tirées gratuitement de ma présence à la Tourillère vous semblent justifier votre comportement de tout à l'heure. On peut me traiter comme une fille bonne à tout et à tous, acheva-t-elle, dans un éclat contenu.

— Je me suis déjà excusé. Dois-je me mettre à genoux?

— Je ne vous en demande pas tant.

Elle reprit, sur un ton de dignité offensée :

— Je suis l'hôte de votre frère. A ce titre, j'avais droit à votre respect.

— Excusez-moi d'avoir pensé que ce n'était pas du respect que vous attendiez de moi.

— Et pourquoi, s'il vous plaît?

Elle était rouge d'indignation.

— Eh! parce que je ne vous prenais pas pour une fille respectable. Pour toutes les raisons que je viens de vous donner.

— Avez-vous changé d'avis?

— Non.

— Comment, non?

— C'est-à-dire que je crois maintenant que vous savez vous faire respecter et peut-être avez-vous encore quelque dignité sur un certain plan. Mais, puisque vous me forcez à vous dire le fond de ma pensée, sachez que je vous prends toujours pour une petite personne vénale, dénuée de sentiments et qui fait passer les questions matérielles avant les questions de cœur. Voilà. Êtes-vous satisfaite?

Elle sentait la colère qu'il retenait. Elle-même éprouvait une brûlure d'amour-propre qui lui devenait peu à peu intolérable.

— Oh! et puis, fit-il sur un ton lassé, je me demande pourquoi nous poursuivons cette digression. Elle est sans objet. Vous vous moquez éperdument de ce que je pense de vous et votre opinion sur moi m'importe fort peu.

— Eh bien, non, éclata-t-elle, il m'importe au contraire. Je n'aime pas être méjugée. J'ai fait des bêtises dans ma vie. De grosses bêtises. J'étais ignorante. Quand je suis arrivée à Paris, je sortais de mon village, de ma ferme. J'étais assez naïve dans un certain sens. La grande cité m'a désaxée. Peut-être que je ne suis plus une fille bien, un être pur. Mais ce 'est pas tout à fait ma faute. Je n'aurais jamais dû quitter mon île.

Des larmes roulèrent sur ses joues. Elle les écrasa avec son mouchoir qu'elle avait repris machinalement dans son sac.

— Attention! Il est toujours aussi sale.

Elle le jeta rageusement à ses pieds. Il en tira un propre de la poche de son blouson et le lui passa.

— Merci, dit-elle en reniflant.

Il avait ralenti. Il se tourna vers elle.

— Pourquoi pleurez-vous?

— Je n'en sais rien.

— Je ne vois pas le motif de vos larmes Vous

êtes arrivée à ce que vous vouliez. Aimez-vous David?

Elle lui cria presque dans la figure :

— Non!

— Mais vous aimez son argent?

La pensée de Michaël la traversa comme une lame. C'était à cause de lui qu'elle subissait cette humiliation. Elle lui en voulait un peu. Une soudaine bravade dont elle ne s'expliquait pas la raison fit jaillir la réponse de ses lèvres.

— Oui, je l'aime. J'aime tout ce que l'argent procure, tout ce que je n'ai jamais eu. Savez-vous que j'allais garder les moutons dans le pacage, quand j'avais sept ans? En étudiant mes leçons? Que je veillais la nuit quand les vaches vélaient? Que je préparais la pâtée des porcs? Je ne veux pas recommencer à faire ces besognes rebutantes. Je veux vivre! Je veux du confort. Je veux à côté de moi un garçon fin et doux, de bonnes manières. Je veux des mains roses d'enfant accrochées à ma robe, je veux...

Elle ne savait plus ce qu'elle voulait.

— Vous n'aurez pas tout cela avec David, fit-il observer avec une subite douceur.

— Il ne s'agit pas de David.

Il ralentit brusquement et tourna vers elle un regard interrogateur.

— Il ne s'agit pas de David? prononça-t-il lentement, en donnant un sort à tous les mots.

Elle enfouit sa tête dans ses mains. Elle

ignorait d'où venait ce désarroi qui démolissait
sa belle euphorie. Qu'avait-elle besoin de faire
des confidences à Mathieu? Pourtant, elle ne put
s'empêcher de parler, comme si une force
invisible l'y poussait.

— Non, dit-elle d'une voix étouffée. Il ne
s'agit pas de David. Je vais dès demain dire à
David que je quitte la Tourillère sans espoir de
retour.

Il conduisait très lentement maintenant. Son
front était soucieux.

— David va être très malheureux, émit-il
après un temps. Vous ne pouvez pas lui éviter
cela?

Aucune colère n'animait son accent, mais
seulement une sourde tristesse.

Elle secoua la tête.

— Impossible.

« Tout s'est passé si curieusement, confia-
t-elle à voix très basse, comme si elle avait honte
des mots qu'elle prononçait. Quand j'y repense,
je me demande si tout cela a existé ailleurs que
dans mon imagination, si c'est bien moi qui ai
agi, s'il m'est vraiment arrivé ces choses folles.
Vous ne pouvez pas comprendre, Mathieu, vous
ne pouvez pas!

Elle venait de l'appeler par son nom, sans s'en
rendre compte.

— Mais si. Le père de David est mêlé à cela,
n'est-ce pas?

Surprise, elle dégagea ses mains, releva la tête.

— Comment? Vous savez?

— Vous avez laissé tomber ce papier dans la voiture. Regardez. Il est dans le portefeuille où se trouvent la vignette et la carte grise.

Elle ouvrit le casier, fouilla d'une main nerveuse, un peu fébrile; c'était le talon du mandat où Avancher avait écrit : « Votre rétribution du mois. » Il avait glissé de son sac à l'aller, quand elle avait sorti son poudrier.

— Je me proposais de vous le rendre, dit-il.

— Qu'avez-vous pensé? demanda-t-elle confuse.

— Vous voulez que je me répète? J'ai pensé que vous aimiez l'argent et que seul l'amour de l'argent vous avait amenée dans cette maison. Au reste, cela ne m'a pas étonné. J'étais au courant.

— Comment? s'exclama-t-elle.

— Par une conversation téléphonique entre Georges Avancher et Mme Doréac. Le jour de votre arrivée. J'ai entendu, sans le vouloir. Mme Doréac est bavarde et ses seules réponses, ce que je pouvais percevoir de l'entretien, m'ont mis sur la voie. Je savais donc au début que vous étiez chargée d'une certaine besogne par Avancher et que cela concernait David. Je me suis douté tout de suite du motif qui avait poussé Avancher à se servir de vous. Et quand nous nous sommes rencontrés, le jour de votre arrivée, je n'ai pu m'empêcher de manifester mon mépris pour ces combinaisons sordides.

Elle s'énerva, piquée au vif, en se souvenant de son attitude d'alors.

— Je comprends pourquoi vous m'avez traitée tout à l'heure comme une fille légère. En fait, vous l'avez dit, c'était sordide. Une histoire de gros sous, une histoire de succession. Mais, vous-même, vous défendez aussi vos intérêts, j'imagine? Vous n'admettez pas d'être lésé dans ces circonstances. Vous avez peur pour votre ferme.

— La ferme m'appartient. Avancher et Mme Doréac croient le contraire, mais le parrain de David, qui était aussi mon oncle, a stipulé dans son testament qu'en cas de disparition de David j'hériterais de cette partie du domaine. Quant au reste...

— Oui? fit-elle, confondue.

— Le désir de David est d'y construire, à côté du château déjà existant, un établissement pour jeunes infirmes.

— Je sais. L'abbé Gilles m'en a parlé.

— Avancher n'aura rien, de toute façon.

— C'est pourquoi il s'est servi de moi. Il comptait que j'empêcherais David de réaliser son projet et il est un des héritiers directs de David.

— David a déjà déposé le libellé de ses dispositions chez le notaire. Évidemment, s'il était marié, il aurait apporté un changement à ses plans.

— La volonté d'Avancher n'était pas que j'épouse David, mais que je le tienne en haleine jusqu'à...

— Jusqu'à la fin, dites-le, brusqua-t-il. Georges Avancher n'est pas un père sentimental. Il a jugé que David était condamné, il n'y avait pas de raison qu'il n'escompte pas l'héritage et il s'est arrangé pour prendre de subtiles précautions.

Mathieu hocha la tête et prit un ton désabusé.

— Je me demande ce qu'il vous a promis pour vous mettre dans sa combinaison, quelle somme alléchante?

Elle ne put supporter davantage qu'il lui parlât avec ce mépris contenu qu'elle percevait dans sa voix.

— Je n'ai pas été guidée par l'attrait de l'argent. Avancher me tenait, comprenez-vous?

— Chantage?

— Oui. Il m'a proposé un marché, un marché qui me sauvait, moi et le garçon que j'aimais. J'ai été un pion sur son échiquier. Croyez-vous que je dise toute la vérité?

Il ne répondit pas. Alors, tout à trac, elle se mit à parler. Avec fébrilité, avec des accents de sincérité sur lesquels on ne pouvait se méprendre. Elle dit tout, son arrivée à Paris, sa rencontre avec Michaël, leurs emballements, leurs déboires et jusqu'à l'indélicatesse du jeune homme qui avait provoqué l'ahurissante intervention de Gaétane et comment elle avait été mêlée, par la volonté du père de David, à cette aventure.

Il ne l'avait pas interrompue une seule fois tandis qu'elle poursuivait son récit.

Elle conclut, essoufflée :

— Voilà. Tout ceci a l'air invraisemblable. Pourtant, vous avez des éléments pour juger et vous pouvez raccorder tous les détails que je viens de vous donner à ce que vous savez déjà. Me croyez-vous? demanda-t-elle anxieusement.

— Bien sûr. Je vous crois.

Il parut brusquement à Gaétane qu'elle venait de gagner une bataille. Elle ne put réprimer un soupir de satisfaction.

Ils se turent. Le profil de Mathieu était un peu noyé par l'ombre qui descendait lentement des montagnes. Gaétane évoqua la silhouette élégante et fluette de Michaël, lumineuse dans le soleil. Elle en détourna aussitôt sa pensée. Pour l'instant, elle s'intéressait à ce bizarre garçon aux cheveux sombres. Elle avait encore sur les lèvres la chaleur de ce baiser qu'il lui avait volé. Ce souvenir la troublait.

— Je vous ai beaucoup parlé de moi. Vous ne m'avez rien dit de vous, observa-t-elle.

Il haussa les épaules.

— Je n'ai pas grand-chose à raconter. Je n'ai rien de romantique ainsi que vous avez pu vous en rendre compte. Ce n'est pas comme vous, jeune fille, amoureuse d'un Prince Charmant. Je ne savais pas qu'il en existât encore. Le beau jeune homme blond des romans, la jouvencelle prête à tout sacrifier pour lui.

La voix qui montait de l'ombre était ironique.

— Ne vous moquez pas de moi. Ce n'est pas chic.

— Je ne me moque pas. Je vous taquine.

— Laissons ce sujet de côté. Et répondez à ma curiosité, pria-t-elle. Vous m'intriguez, Mathieu.

— En quoi?

— Eh bien, vous êtes différent de ce que j'avais imaginé au début. Je vous prenais pour un rustre.

— Je suis un rustre, affirma-t-il. Je déteste tout ce qui est mondain et conventionnel. Je déteste les raffinements de la mode. Je déteste l'hypocrisie. Et je ne me plais qu'avec les gens qui me ressemblent, les paysans comme moi.

— Mais vous lisez Hemingway.

— C'est un homme dans mon genre. Il a vécu la vie qu'il avait choisie.

— Je me demande pourquoi vous n'avez pas choisi d'être pilote, comme votre père.

Une note amère passa dans la réponse.

— Parce que ma mère ne l'a pas voulu. Elle avait tremblé pour mon père : aussi peu que je représente dans sa vie, elle aurait quand même été anxieuse pour moi. Du moins l'assurait-elle. Et puis, aujourd'hui, il n'y a plus les mêmes risques dans l'aviation. Les pilotes sont plus ou moins des chauffeurs de taxi. Et, enfin, je vous l'ai dit, j'aime la terre. J'ai une ascendance paysanne par mes grands-parents terriens. Elle a prévalu.

— Et vous envisagez de rester toute la vie dans votre ferme?

— Non. Je reste parce que David a besoin de moi. Je rêve d'exploitations plus vastes. Ici, tout est trop ordonné, trop « fini » déjà. On m'a offert de m'associer au développement d'une grande région, en Argentine. Des rapatriés y sont à l'œuvre. Il y a des possibilités énormes. Lorsque je serai libre de moi-même (son ton s'assombrit), c'est-à-dire quand David ne sera plus là, je vendrai ce qui m'appartient et je me ferai pionnier.

Une vie de pionnier. Une vie de hasard, d'aventures et de surprises, une vie ardente, c'était bien cette vie qui lui convenait. Gaétane essaya de l'imaginer et son cerveau s'enfiévrait.

Derrière les cimes, le soleil venait de sombrer. Mathieu alluma les veilleuses. La route était grise devant eux tandis que la voiture avalait les côtes. Dans son isolement royal, le Canigou avait une majesté impressionnante. Mathieu se mit à fredonner le refrain des montagnards si populaire au Roussillon :

« Montagnes, Pyrénées, vous êtes mes amours. »

Le fredonnement devint chant. Mathieu avait une voix profonde, large et prenante, qui montait dans l'air du soir comme une grave prière. Après tous les sujets sans noblesse qui venaient d'être agités, c'était comme une brise fraîche, une incantation qui éloignait les mauvais esprits, chassait les miasmes, purifiait l'atmosphère.

Gaétane écoutait cette voix se prolonger en elle, au plus secret d'elle-même, comme une source qui dissout les scories. Elle se sentit brusquement apaisée.

CHAPITRE XII

Lorsque les deux passagers de la Mercedes parvinrent à la Tourillère, tout semblait y dormir. Les fenêtres étaient closes. Mathieu stoppa devant le seuil et descendit pour ouvrir la portière à sa compagne.

— Vous n'entrez pas?

— Non. Il est trop tard. David doit reposer. Je reviendrai demain.

— Alors, je vous dirai au revoir.

Il eut un mouvement.

— Vous voulez vraiment partir demain?

Elle pensa à son rendez-vous avec Michaël. Au cours de cette soirée, durant ce retour dans la nuit, elle l'avait oublié.

— Je n'ai plus de raison de rester. Il faut bien que David sache qu'il ne doit pas compter sur moi. Je ne peux plus supporter de jouer ce rôle odieux auprès de lui.

Le silence nocturne les enveloppa. Quelques secondes s'écoulèrent.

— Vous manquerez à cette maison, observa-t-il d'un ton neutre.

— Je ne suis pas indispensable.

Ils chuchotaient pour ne pas éveiller les gens et ils étaient tout proches l'un de l'autre. Dans la lumière des veilleuses, elle distinguait la haute silhouette et voyait luire les yeux de Mathieu, ses yeux de bohémien.

Elle tendit la main vers lui.

— Bonsoir, Mathieu.

En écho, la voix grave, un peu rauque :

— Bonsoir, Gaétane.

C'était la première fois qu'il l'appelait par son prénom et son ton était amical. Elle en éprouva une subite chaleur intérieure. En même temps un allègement. Comme si ce malaise moral qu'elle éprouvait parfois se dissipait.

« C'est parce que je me suis confiée à lui, songea-t-elle. Faute avouée est à demi pardonnée. O pouvoir salutaire de la confession! »

— Je souhaite que vous ne fassiez pas trop de mal à David.

Ce furent ses dernières paroles tandis qu'il ouvrait la porte de la maison afin qu'elle y pénétrât furtivement.

Elle demeura un instant appuyée au chambranle avant de chercher le commutateur pour éclairer le hall. Elle entendit le petit choc de la portière et les roues crisser sur le sable. Elle éprouvait une étrange impression. Une impression complexe. Elle était à la fois rassurée et inquiète. La perspective de l'explication qu'elle devait avoir le lendemain avec David la troublait. En même temps et pour la première fois depuis son arrivée dans cette demeure, elle se sentait en paix avec sa conscience.

L'image du grand garçon taciturne — il ne l'avait pas été durant le trajet — l'accompagna, tandis qu'elle montait l'escalier sur la pointe des pieds. En passant, elle avait vu filtrer un rai de lumière sous la porte de David, mais elle s'était gardée de s'arrêter. Elle le verrait toujours assez tôt le lendemain.

Comme elle parvenait à l'étage, Félicie surgit hors de sa chambre. Elle eut un mouvement de surprise à la vue de Gaétane.

— Vous rentrez si tard?

— Nous avions un long trajet, s'excusa-t-elle. Et vous, vous êtes encore debout?

— Je descends remplacer Mme Doréac, chuchota l'infirmière. Elle veille près de David qui a fait une crise dans la journée.

— Grave? s'inquiéta Gaétane.

— J'espère que non. Le docteur est venu et il a conseillé de ne pas le laisser seul cette nuit.

— Est-ce que David m'a réclamée?

— Il était trop fatigué pour parler. Mais je pense que vous lui avez manqué.

« Mon Dieu, s'enfiévra Gaétane, s'il est

malade, comment va-t-il prendre ma soudaine décision? Il s'y attend si peu. »

« Je souhaite que vous ne fassiez pas de mal à David. »

Les paroles de Mathieu étaient restées en elle comme un reproche. Elle s'insurgea :

« Je ne vais pas me laisser impressionner. Michaël m'attend. Il m'a fait une place dans sa vie. Je suis heureuse de le rejoindre.

L'était-elle autant qu'elle se l'affirmait?

Tandis qu'elle se déshabillait rapidement, elle se sentait tout à coup très lasse, elle se répéta ces mots : « David m'attend, David m'attend », comme un enfant qui siffle dans le noir pour dissiper sa peur.

Mais elle ne put trouver si tôt le sommeil. Elle revivait en pensée tous les événements qui s'étaient déroulés à la Tourillère depuis son arrivée dans la petite gare où l'attendait un messager qui ressemblait à un coureur de piste, surgi d'un roman d'Hemingway. L'Italie était loin et ce n'est pas à Milan qu'elle aborda en rêve lorsque, enfin, elle s'endormit.

Ce fut comme si un décor longtemps immobile basculait. La Tourillère semblait tout à coup une autre demeure, avec des odeurs nouvelles, des allées et venues furtives, des visages inquiets, des mines consternées, des chuchotements. L'état de David s'était aggravé. David allait mal. Brusquement, au cours de la nuit, il avait été pris de douleurs dans la poitrine. Alerté par téléphone, le docteur était venu aux petites heures du matin. La maladie s'installait et l'ombre maléfique, tenue éloignée jusque-là, se rapprochait à grands pas menaçants.

Mathieu ne quittait plus la chambre de son frère, où Gaétane se glissait parfois pour s'asseoir au chevet de l'infirme, furtive, patiente, épiant un regard ou un sourire. Lorsqu'il la reconnaissait, le visage souffreteux s'éclairait vaguement. Mais, immobilisé par tous les appareils de perfusion et de transfusion qui le clouaient sur sa couche, il pouvait à peine remuer la tête. Il parlait peu.

Gaétane avait commencé ses valises. Mais elle comprit l'impossibilité de s'en aller dans un pareil moment, et, au surplus, elle n'en avait pas envie. Elle était prise par l'atmosphère de la maison, tâchait de se rendre utile, posait parfois sa main sur la paume ouverte de David, durant de longues stations auprès de lui. Elle échangeait fort peu de paroles avec Mathieu et, quand leurs regards s'accrochaient, tous deux les détournaient aussitôt. Il semblait que Mathieu eût voulu redevenir pour elle ce qu'il était à l'arrivée de Gaétane.

De longues journées s'étirèrent, avec des alternatives d'espoir et de découragement. Un matin, Avancher survint. C'était la première fois que Gaétane le revoyait depuis leur dernier colloque, si dramatique pour elle. Il était sombre et préoccupé. Elle tenta de se dérober au tête-à-tête qu'il parut chercher à établir plusieurs fois. Enfin il la coinça sur la terrasse où elle était sortie pour respirer un peu d'air frais.

— D'après ce que m'a dit ma sœur, vous n'auriez guère réussi dans votre mission. David n'aurait pas rappelé son notaire et l'absurde legs qu'il a fait pour cette fondation reste en vigueur. Pourquoi n'avoir pas agi plus tôt?

— Parce que je ne veux plus me prêter à cela! explosa-t-elle sur un ton intense et révolté. Même si David se remet, ne comptez plus sur moi pour cette besogne.

— Prenez garde, menaça-t-il. Si vous ne tenez pas vos engagements...

Elle l'interrompit avec véhémence :

— Que ferez-vous? En ce qui concerne Montana, vous êtes remboursé et vous ne possédez plus aucune arme contre lui. C'est ce que je désirais. Quant à moi, vous pouvez vous servir des flashes que vous avez pris. Je raconterai ce que je sais de vos sordides combinaisons, de vos odieux calculs et je n'aurai pas le plus mauvais rôle.

Il eut un ricanement dédaigneux.

— Pensez-vous m'effrayer? Que peut une fille de votre sorte contre moi? Vous pourrez toujours raconter ce qu'il vous plaît, personne ne vous croira.

— Après mon séjour dans cette maison et les mandats que vous m'avez adressés? insinua-t-elle, ironique.

Le masque d'Avancher se contracta dans une expression de fureur à peine dominée.

— Petite garce! vous m'avez bien eu, gronda-t-il en l'enveloppant d'un regard venimeux.

Insouciante, elle le toisa :

— Cela vous va bien de me traiter ainsi, vous qui venez discuter ces viles questions d'intérêt à quelques mètres de la chambre où agonise votre fils.

— Il y a longtemps que je le sais condamné. On ne peut rien contre le destin, répliqua-t-il avec un certain embarras.

— Sauf de le faire tourner à votre avantage. Eh bien, vous avez perdu. Votre fils est un être généreux et bon, dit-elle avec une chaleur soudaine dans l'accent. Son dernier geste a voulu être un geste de générosité envers des déshérités comme lui. Je me serais reprochée toute ma vie de l'avoir empêché de l'accomplir, pour votre seul profit.

Elle lui tourna brusquement le dos. Il resta quelques secondes immobile derrière elle. Peut-être ses paroles avaient-elles touché quelque point demeuré sensible au fond de son cœur cynique? Peut-être l'ombre noire de la mort planant sur cette maison le rendait-il plus vulnérable, plus accessible à des sentiments humains? Peut-être, après tout, avait-il aimé son fils, moins que son argent, mais assez tout de même pour éprouver à cet instant une émotion qui atténuait son égoïsme.

— C'est bon, prononça-t-il d'une voix tout à coup dépouillée de colère. Je déchirerai les clichés.

— Et moi, dit-elle sans se retourner, je me tairai sur vos agissements.

Après cette entente brève, ils ne furent plus que des étrangers.

La fin de David survint le vendredi suivant, pendant la nuit. Gaétane l'apprit par Félix quand elle sortit de sa chambre au matin. Elle avait veillé la nuit précédente et elle était à bout de forces. Lorsqu'elle parvint dans le hall, elle trouva Mathieu, les yeux rougis, l'air malheureux. Elle s'approcha de lui, le visage baigné de larmes. Ils s'étreignirent et il sanglota sur son épaule comme un enfant.

— Où allez-vous? demanda-t-elle.

— Je vais donner des ordres à la ferme. Je n'y suis plus allé tous ces jours-ci. Après, j'ai de multiples démarches à faire.

— Ah!

Elle laissa passer un petit temps.

— Je vais partir.

Il la regarda. Ses prunelles avaient perdu leur éclat.

— Assistez au service funèbre, pria-t-il. David l'aurait voulu.

D'un mouvement de tête, elle acquiesça.

— Bien. Je partirai aussitôt après.

— Je vous remercie d'être restée cette semaine, exprima-t-il d'un ton contenu.

— Je l'ai fait pour lui et aussi pour vous.

Il la quitta brusquement et elle comprit qu'il voulait lui dissimuler ses larmes. Ces larmes d'homme, d'homme rude, la touchaient profondément.

Gaétane ne devait pas revoir Mathieu jusqu'au surlendemain.

Pour les gens du pays et pour les amis, une brève cérémonie avait été prévue dans la petite église du village où tous les fournisseurs, les montagnards, les paysans se rendirent afin de rendre hommage à ce jeune homme dont ils savaient les libéralités et avaient apprécié la gentillesse, soit directement, soit à travers les propos de ceux qui l'avaient approché. Ensuite, le convoi partait vers ce cimetière de la banlieue parisienne où le caveau de famille abritait déjà la mère de David.

Tous les proches ainsi que l'abbé Gilles, Félicie et d'autres parents, survenus à l'ultime minute, suivaient.

Dès que le service religieux fut terminé, tandis

que s'échangeaient les remerciements, Gaétane qui en avait ainsi convenu avec Félix — celui-ci devant demeurer à la Tourillère — revint avec lui pour terminer ses préparatifs et se faire ensuite conduire à la gare.

Une tristesse immense la submergeait. Elle avait achevé sa mission. Elle allait quitter cette maison où elle avait vécu deux mois, et ces deux mois avaient suffi pour faire d'elle une autre femme, plus mûre, plus réfléchie, plus consciente. C'est cela que lui laissait David, la conscience d'elle-même, le sentiment retrouvé d'une certaine dignité.

Michaël le comprendrait-il? Apprécierait-il cette transformation? Elle n'avait guère eu le temps de penser à Michaël durant ces fiévreuses journées. Le rendez-vous de Milan lui semblait s'éloigner dans une perspective toujours plus lointaine. Brusquement mise en face de sa décision, elle réfléchissait à tous les problèmes qui l'attendaient tout en bouclant ses bagages.

Quand elle eut terminé, elle pensa au convoi qui emmenait maintenant David pour son dernier voyage ici-bas, à la Mercedes qui emportait les membres de la famille. Tout cela était encore plus proche de son cœur que le projet de rejoindre Milan où elle retrouverait Michaël.

— Je me demande si je ne ferais pas aussi bien de retourner en Corse, dit-elle tout haut, comme si elle répondait à une question qu'elle

214 RETOUR DANS LA NUIT

s'était secrètement posée dans son subconscient.

Pourtant, les dés étaient jetés. Elle ne pouvait plus rien sur la marche du destin.

Félix venait de descendre ses bagages. Elle avait une heure à perdre avant le moment du départ pour la gare.

— Je vais jusqu'à la station prendre de l'essence et faire gonfler mes pneus, annonça-t-il. Je serai là dans vingt minutes au plus tard.

— D'accord.

Le jardin était paisible autour de la grande maison déserte. Elle prit l'allée où David l'avait promenée le premier jour de son arrivée à la Tourillère et chemina dans l'air léger. Tout était plein de quiétude et de douceur et elle pensait avec mélancolie que David s'en allait par une belle journée, qu'il eût aimé peindre comme il peignait ses fleurs.

Sans s'en rendre compte, elle parcourut une certaine distance et parvint au chemin des vignes. Elle s'apprêtait à retourner sur ses pas pour ne pas manquer l'heure de son départ quand elle aperçut une camionnette de la ferme qui venait à toute allure dans le chemin.

Le véhicule s'arrêta près d'elle et, avec stupeur, elle reconnut Mathieu au volant.

— Comment! Vous n'êtes pas parti?

— Mais non. Il fallait bien quelqu'un pour s'occuper de la ferme. David n'a plus besoin de

moi. Félix est-il à la maison? ajouta-t-il rapidement.

Son débit était pressé. Il semblait anxieux.

— Non. Il est allé à la station. Mais qu'y a-
t-il? demanda-t-elle, surprise, en voyant la
déception qui marquait les traits de Mathieu.

— J'ai un ennui.

Il la toisa d'un regard vif :

— Au fait, vous pouvez m'aider. Vous montez?

— Mais je...

Déjà il lui ouvrait la portière en étirant son
grand bras.

— Montez! fit-il, impatient.

Elle obéit. Il manœuvra avec dextérité pour
opérer un demi-tour et lança le véhicule sur le
chemin de la ferme.

— Ils sont tous restés au village, dit-il. Je suis
seul et j'ai besoin d'aide.

— Qu'arrive-t-il?

Il ne répondit pas. Il stoppait sur l'esplanade,
le long de la maison basse. Il prit rapidement un
objet derrière lui et sauta, avec une surprenante
souplesse, hors de la voiture.

— Rejoignez-moi dans la deuxième cour.

Il se mit à courir et elle le suivit, passionnée
à l'idée de lui rendre service, sans savoir même à
quoi elle s'engageait ainsi.

Elle le retrouva dans la cour, à genoux devant
une forme couchée sur le sol. C'était une génisse

rousse au poil velouté qui geignait doucement. Le sang coulait d'une blessure qu'elle avait à l'épaule. Mathieu se tourna à demi vers l'arrivante.

— C'est Pénélope, une bête toute jeune. Elle s'est blessée sur un pieu de la clôture. Il faut que je fasse une ligature. Sinon elle perdra tout son sang.

Il avait ouvert la trousse qu'il venait d'apporter et, tout en prononçant des mots d'encouragement et de compassion à l'adresse de l'animal blessé, il commença ses soins. Il avait des gestes tendres pour la rassurer. D'une main habile, il épongea le sang qui coulait en un flot rouge vif. Il désinfecta ensuite la plaie. Tandis qu'il déroulait une bande de toile, il ordonna à Gaétane, en lui désignant un paquet d'ouate :

— Appliquez-le de toutes vos forces sur la blessure pendant que je prépare une pansement.

Gaétane avança une main, d'abord timide, puis plus assurée. Elle retrouvait d'instinct les gestes qu'elle avait vu faire chez elle, dans la bergerie où son père l'emmenait jadis.

— Vous n'avez pas peur? demanda Mathieu.

Pénélope, sous le coup de la douleur, avait eu un mouvement spasmodique qui avait arraché un petit cri à Gaétane.

— Non, dit-elle en serrant les dents.

La bête regardait son maître. Avec un émoi secret, Gaétane percevait cette immense confiance qui la faisait se tourner vers l'homme, fixer sur lui ses yeux brûlants et tendres, dans l'attente du miracle que seul il pouvait accomplir et qui la délivrerait de sa souffrance. C'était pour Gaétane comme une révélation qui rejoignait ses lointaines impressions d'enfant, au cœur de la montagne parfumée où elle avait eu ses premiers contacts avec le monde.

Dans les yeux de Mathieu, il n'y avait plus ni insolence ni fierté, mais une pitié infinie, un désir ardent de soulager, de guérir.

— Tenez le tampon serré pendant que je prépare la ligature.

— Oui.

Elle crispa ses mains sur le coton par lequel suintait lentement le sang. Pénélope gémissait. Il se pencha vers elle.

— Là! ma belle! ma petite. Doucement. Cela va passer. Je vais te guérir. Patience, ma chérie.

La génisse semblait le comprendre et sa plainte s'apaisa.

Tout en lui parlant, il préparait l'appareil avec des gestes précis. Gaétane voyait, tout près d'elle, le cou de l'homme où l'effort faisait saillir les tendons durs qui gonflaient la peau hâlée. Il émanait de lui une force, une santé rassurantes. En même temps s'accentuait cet air sauvage et libre qui l'empêcherait toujours d'avoir l'aspect policé d'un Michaël.

En fait, personne ne ressemblait moins à Michaël que Mathieu.

Maintenant, il se mordait les lèvres pour serrer plus vigoureusement les bandes autour de l'épaule. La génisse s'apaisait peu à peu. Elle haletait doucement, ses bons yeux confiants toujours fixés sur Mathieu avec une douceur animale. Il se pencha vers elle, caressa son mufle soyeux, puis il se redressa.

— C'est fait, dit-il. Elle ne risque plus rien.

Pour la première fois, il regarda Gaétane qui se relevait à son tour. Elle avait les mains tachées du sang de la bête.

— Vous avez un robinet sur le bassin, dans la cour.

Il l'y rejoignit tandis qu'elle finissait de se laver. Il lui apportait un torchon rugueux mais propre. A son tour, il plongea ses mains dans l'eau qui coulait vers le caniveau avec un bruit clair.

Quand elle se fut essuyée, elle lui tendit le torchon et ils restèrent un instant debout l'un devant l'autre, silencieux et graves.

— Merci, dit-il au bout d'un temps.

Et il ajouta, en regardant du côté de la génisse allongée sur l'herbe :

— Vous m'avez rendu un grand service. Vous n'êtes pas une mauviette. Vous êtes une vraie femme.

Elle reçut cet hommage sans sourire. Mais il l'emplissait de fierté.

Des étables venait la rumeur sourde des bêtes. L'odeur des lavandes se fit plus pénétrante.

Soudain, Gaétane sembla s'arracher à quelque sortilège et consulta sa montre.

— Je crois que j'ai raté mon train.

— Oui.

Mathieu la regardait. Un regard direct, intense, qui plongeait au fond d'elle-même et y éclairait des choses secrètes, y projetait comme une fulgurante lumière. La réalité lui apparut et l'éblouit. Elle n'avait pas osé la voir jusque-là. Elle en restait interdite.

C'était ça, l'amour. Non plus la romanesque comédie qu'elle s'était jouée à elle-même autour de Michaël; non plus ce mirage de l'imagination qui voulait prendre pour vérité ce qui n'était qu'apparence, facettes, trompe-l'œil; l'erreur d'un cœur qui se cherche et ne trouve dans le miroir qui lui est tendu, que son propre reflet.

Mais autre chose de plus subtil, de plus profond et de plus impérieux. Un désir éperdu de se donner à un être et de tout recevoir de lui, la joie et la souffrance, le souci et l'espoir, le malheur et le bonheur, et chacun de ces biens ou de ces maux partagés et multipliés à l'infini. Et, par-dessus tout, aiguë et déchirante, la sensation que la présence de cet homme lui manquerait tout au long de la vie. Irrémédiablement, et que cette vie sans lui n'aurait plus de sens.

Il semblait attendre qu'elle prît une décision. Ce fut très rapide, très spontané : sans hésiter, Gaétane posa sa tête sur l'épaule de Mathieu, avec un abandon, une certitude absolus.

En même temps, des phrases s'ordonnaient dans son esprit et prenaient corps, exprimant les pensées qui y cheminaient sourdement depuis des jours, sans qu'elle voulût y croire : « Michaël n'est pas fait pour moi, ni Paris, ni le théâtre. Je n'irai pas à Milan. Jamais. Ou alors plus tard, avec Mathieu... et nos enfants. Mais, d'abord, je lui montrerai la Corse, ma montagne qui sent bon, la bergerie. Et s'il tente une aventure, je la vivrai avec lui. »

Mais elle ne disait rien. Ils restèrent là, immobiles. Le souffle un peu plus saccadé de Mathieu faisait voltiger les cheveux de Gaétane. Il lui entoura la taille de son bras puissant, la haussa jusqu'à lui, posa un long baiser sur ses lèvres.

Elle frissonna et ferma les yeux, écoutant le silence, ce silence campagnard peuplé de mille bruits qu'elle reconnaissait, qui remontaient à sa mémoire du fond de son enfance et qu'elle retrouvait avec un mystérieux émerveillement. Ils n'avaient pas besoin de parler. Ils s'étaient trouvés, et maintenant ils se savaient liés pour l'avenir par toutes les choses profondes qui étaient en eux et se complétaient, mêlés jusqu'au fond d'eux-mêmes : un couple, en marche vers son destin.

Achevé d'imprimer en mai 1979
sur les presses de l'Imprimerie Bussière
à Saint-Amand (Cher)

— N° d'édit. 503. — N° d'imp. 745. —
Dépôt légal : 2e trimestre 1979.
Imprimé en France

ISBN 2-235-00695-7